Weitere 50 große Romane des … e größere Hoffnung • **Joan Aiken** – Du bist … vo Andric – Die Brücke über die Drina • **Ing**… y – Lügen in Zeiten des Krieges • **Anthony** … n Capote – Frühstück bei Tiffany • **Colett**… Buch von Blanche und Marie • **Nuruddin Farah** – Maps • **Lion Feuchtwanger** – Narrenweisheit oder Tod und Verklärung des Jean-Jacques Rousseau • **Penelope Fitzgerald** – Die blaue Blume • **Nadine Gordimer** – Niemand der mit mir geht • **Juan Goytisolo** – Landschaften nach der Schlacht • **Lars Gustafsson** – Der Tod eines Bienenzüchters • **Joseph Heller** – Catch 22 • **Wolfgang Hilbig** – Ich • **Wolfgang Hildesheimer** – Marbot. Eine Biographie • **Bohumil Hrabal** – Ich dachte an die goldenen Zeiten • **Ricarda Huch** – Der Fall Deruga • **Brigitte Kronauer** – Berittener Bogenschütze • **Jaan Kross** – Der Verrückte des Zaren • **Hartmut Lange** – Das Konzert • **Carlo Levi** – Christus kam nur bis Eboli • **Javier Marías** – Alle Seelen • **Monika Maron** – Stille Zeile Sechs • **William Maxwell** – Zeit der Nähe • **Patrick Modiano** – Eine Jugend • **Margriet de Moor** – Der Virtuose • **Amos Oz** – Ein anderer Ort • **Orhan Pamuk** – Rot ist mein Name • **Leo Perutz** – Der schwedische Reiter • **Christoph Ransmayr** – Die Schrecken des Eises und der Finsternis • **Philip Roth** – Täuschung • **Arno Schmidt** – Das steinerne Herz. Historischer Roman aus dem Jahre 1954 nach Christi • **Ingo Schulze** – 33 Augenblicke des Glücks • **Winfried G. Sebald** – Austerlitz • **Anna Seghers** – Transit • **Isaac Bashevis Singer** – Feinde, die Geschichte einer Liebe • **Muriel Spark** – Memento Mori • **Andrzej Stasiuk** – Die Welt hinter Dukla • **Marlene Streeruwitz** – Verführungen. • **Kurt Tucholsky** – Schloß Gripsholm. Eine Sommergeschichte • **Mario Vargas Llosa** – Lob der Stiefmutter • **Robert Walser** – Jakob von Gunten • **Franz Werfel** – Eine blaßblaue Frauenschrift • **Urs Widmer** – Der Geliebte der Mutter • **Christa Wolf** – Kassandra • **Virginia Woolf** – Mrs Dalloway • **Stefan Zweig** – Maria Stuart | **Ausgewählt von der Feuilletonredaktion der Süddeutschen Zeitung | 2007 – 2008**

Per Olov Enquist

Das Buch von Blanche und Marie

Per Olov Enquist

Das Buch von Blanche und Marie

Roman

Aus dem Schwedischen von
Wolfgang Butt

Süddeutsche Zeitung | Bibliothek

Für Gunilla

Bibliografische Information der Deutschen Nationalbibliothek
Die Deutsche Nationalbibliothek verzeichnet diese Publikation in der Deutschen Nationalbibliografie.
Detaillierte bibliografische Daten sind im Internet über http://dnb.d-nb.de abrufbar.

Der vorliegenden Ausgabe liegt die Textfassung der 2005 im Carl Hanser Verlag erschienenen deutschsprachigen Erstausgabe zugrunde.
Lizenzausgabe der Süddeutschen Zeitung GmbH, München für die Süddeutsche Zeitung | Bibliothek 2007

Titel der Originalausgabe:
Boken om Blanche och Marie, Norstedts Förlag, Stockholm

Titelfoto: Scherl/SV Bilderdienst
Autorenfoto: Brigitte Friedrich/SV-Bilderdienst
Klappentext: Dr. Harald Eggebrecht
Gestaltung: Eberhard Wolf
Grafik: Dennis Schmidt
Projektleitung: Dirk Rumberg
Produktmanagement: Sabine Sternagel
Satz: vmi, Manfred Zech
Herstellung: Hermann Weixler, Thekla Neseker
Druck und Bindearbeiten: Ebner & Spiegel, Ulm
Printed in Germany
ISBN 978-3-86615-525-1

Das gelbe Buch

I

Der Gesang von der Amputierten

1.

›Amor Omnia Vincit‹ – die Liebe überwindet alles – hatte sie auf den Deckel der braunen Mappe geschrieben, in der die drei Notizbücher liegen; darüber stand, kräftiger und in Druckbuchstaben, der Titel FRAGEBUCH. Als sollten zwei Haltungen erprobt werden: die obere kraftvoll, optimistisch und vollkommen neutral, die untere spröde, vorsichtig, beinah flehend. Als habe sie sagen wollen, daß dies der Ausgangspunkt ist, es kann wahr sein, oh, wenn es nur wahr wäre.

Die Liebe überwindet alles. Wider besseres Wissen, aber trotzdem. Es tut ein bißchen weh, es zu sehen, *oh, wäre es nur wahr, oh, wenn es doch wahr* wäre. Alles sehr angestrengt sachlich und korrekt, bis der Ton bricht. Ein gelbes Heft, ein schwarzes – unvollständig oder zensiert – und ein rotes. Zusammen ein Fragebuch, das von Blanche und Marie handelt. Mehr nicht.

Man muß das akzeptieren.

Die Liebe überwindet alles, als Arbeitshypothese, oder innerster Schmerzpunkt.

Zwei Jahre nachdem Marie Słodowska Curie ihren zweiten Nobelpreis erhalten hatte, den in Chemie 1911, und zur gleichen Zeit, als ihr Geliebter Paul Langevin zu seiner Ehefrau Jeanne zurückkehrte, und mit deren Einverständnis eine längerfristige sexuelle Beziehung zu seiner Sekretärin etablierte, wurde Marie von einem nicht unerwarteten, aber doch schweren Verlust getroffen, als ihre Freundin Blanche Wittman eines Morgens tot aufgefunden wurde, in Maries Wohnung in Paris.

Sie hatte versucht, aus dem Bett in die Holzkiste auf Rädern zu klettern. Es ging nicht. Und so war sie gestorben.

Die Todesursache wurde nie festgestellt, doch den Männern, die ihren Leichnam abholten, fiel teils ihre geringe Körpergröße auf, teils, daß Marie Słodowska Curie darauf bestand, diesen amputierten Torso eigenhändig in den Sarg zu legen. Dann hatte sie, zum Abschied, auf einem Stuhl neben der Toten gesessen, die eine Hand auf dem Sargdeckel, während die Träger eine Stunde lang im Nebenzimmer warten mußten. Sie hatte keine Erklärung abgeben wollen, nur gemurmelt *ich weiche nie von deiner Seite.*

Aber dann wurde der Sarg ja hinausgetragen.

In dem einzigen Nachruf, der erschien, wurde Blanche Wittman als ein ›legendäres Phänomen‹ bezeichnet, und ihre Rolle als Professor J.M. Charcots Medium wird erwähnt. Sie hinterließ drei Notizbücher, die erst gegen Ende der dreißiger Jahre bekannt wurden und nie in Gänze veröffentlicht wurden.

Marie Curie erwähnt Blanches Existenz in ihren Memoiren nicht, wie so vieles andere.

Ich mache ihr keinen Vorwurf.

2.

Wer weiß schon, ob Blanche Wittman selbst gewünscht hätte, erwähnt zu werden.

Als Randbemerkung in der Geschichte der Medizin erlangte sie nach ihrem Tod jedoch eine gewisse Berühmtheit, wird aber nie im Zusammenhang mit Marie Curie erwähnt, dagegen stets als ›Charcots Medium‹. Eine dieser Randbemerkungen sagt lakonisch, daß sie ihr Leben als ›Märtyrerin‹ und ›Opfer‹ für die wissenschaftliche Erforschung des Radiums beendete. Sie hatte nach Charcots Tod und in dem Chaos, das anschließend im Hinblick auf die wissenschaftliche Ausrichtung der Behandlungsmethoden in der Salpêtrière entstanden war, zwei Jahre lang als Assistentin in der Röntgenabteilung des Krankenhauses gearbeitet. Später arbeitete sie in Marie Curies Laboratorium. Dort kam es einige Jahre später zur Entdeckung des Radiums. Wer konnte tödliche Röntgenstrahlung und tödliches Radium unterscheiden? Das eine setzte da ein, wo das andere aufhörte.

Endergebnis: Märtyrerin und Torso.

Nach Charcots Tod 1893 jedoch fast völliges Schweigen. In den letzten Jahren ihres Lebens trug sie sich mit der Absicht, ein Buch über die Liebe zu schreiben. Hierüber in dem knapp gefaßten Nachruf nichts. Nur ›starb ohne Arme und Beine‹ – nicht ganz korrekt, sie hatte noch einen Arm, den rechten, mit dem sie schrieb bis zuletzt.

Das Buch blieb unvollendet. Heute existieren nur noch drei Notizhefte im Format 30x22 Zentimeter, jedes umfaßt vierzig Seiten, zusammengehalten in einer braunen Mappe, ein Fragebuch, wie sie es nannte. Das erste Notizheft nennt sie ›Das gelbe Buch‹, das zweite ›Das schwarze Buch‹ und das dritte ›Das rote Buch‹.

Die Umschläge ohne Farbe. Mit diesem dreigeteilten Buch wollte sie eine Geschichte von der Natur der Liebe erzählen. Aber das ging ja nicht. Übrig blieb eine Geschichte von Blanche und Marie. Von wie vielen Leben kann man das sagen? Alle haben ja eine Geschichte, aber nur wenige werden aufgezeichnet.

Das verwirrende Wort Fragebuch auf dem Deckel der Mappe findet rasch eine einfache Erklärung. Sie hatte sich anscheinend vorgenommen, jeden Abschnitt mit einer Frage einzuleiten. Dann wollte sie diese Frage so rational wie möglich beantworten. Die Fragen sollten »äußerst gewichtig« sein. **Welche Farbe hatte dein erstes Kleid? Welches war deine erste Telefonnummer?** Zuweilen plötzliche und eigentümliche Abweichungen: **Was konnte man am Gesicht meines Vaters ablesen, als er die Abtreibung vornahm?** Oder **Wer saß beim Trauerzug an Charcots Sarg?**

Immer sehr konkrete Fragen. Sie sind manchmal nichtssagend, bis zu dem Augenblick, in dem man sich dazu verlocken läßt, selbst auf sie zu antworten. Dann ist es wie ein Spiel, das plötzlich wahr und erschreckend wird. Das hängt von einem selbst ab. Macht man weiter, werden das Gleichgewicht und die Kontrolle gestört, die Kompaßnadel dreht sich im Kreis, wie am Nordpol. Ich habe es versucht. Die Frage nach der Telefonnummer ist schnell beantwortet: ›Sjön 3, Hjoggböle‹. Dann wird es sehr schwer. Wenn man das Selbstverständliche erklären soll, wird es langwierig, und erschreckend. Es liegt etwas Bedrohliches in ihrem Fragebuch, eine Verlockung, sich auf verbotenes Gebiet zu begeben oder die Tür zu einem dunklen Raum zu öffnen.

Kurze Fragen, ausführliche Antworten ohne eigentliche Verbindung zur Frage.

Sie hatte wohl Angst. Dann tut man so etwas.

Die drei Notizhefte, das gelbe, das schwarze und das rote, gibt es noch. Das Übrige, also das Äußere, ist Rekonstruktion.

Manchmal sind die Antworten kurzgefaßt: Man muß annehmen, daß sie vorhat, die Antwort später zu verdeutlichen, wenn sie den Mut dazu findet.

Eine Aufzeichnung wird zum Beispiel nur mit der Frage **Wann?** eingeleitet.

Die Antwort handelt von ihrem Arzt und Geliebten, Professor J.M. Charcot. Sie beschreibt ein kurzes Vorkommnis. Es betrifft ihre erste Begegnung. Das erste Mal, daß er sie sah, schreibt sie, war durch eine halboffene Tür: Sie befand sich in einem Zimmer in der Salpêtrière, als Patientin. Der Arzt, der sie behandelte, *und mich mit erstaunlicher Sorgfalt untersuchte, obwohl ich noch nicht die Berühmtheit erlangt hatte, die mir später zuteil werden sollte,* war in der Salpêtrière angestellt; er hieß Jules Janet.

Sie nimmt es genau mit den äußeren Details. Zwei Zimmer, ein Vorzimmer, vielleicht ein Umkleideraum. Sie war nach einer Reihe von Aufenthalten in anderen Anstalten wegen eines Leidens aufgenommen worden, welches wissen wir nicht, es kann das gleiche Leiden gewesen sein, dessentwegen sie später von Charcot behandelt wurde. Also Hysterie. Sie schreibt es nicht.

Blanche hatte sich nach einer Untersuchung wieder angekleidet.

Da hatte sie C. in einem Gang vorübergehen sehen. Er hatte sich umgedreht und sie betrachtet. Der Abstand betrug knapp vier Meter. Sie wußte, daß er sie gesehen hatte. Sie hatte ihre Bewegungen verzögert, so daß das Ankleiden sehr langsam vor sich gegangen war. Sie hatte ihr Gesicht von ihm weggewandt, ihren Körper langsam gedreht. Ihre eine Brust war zur Hälfte entblößt gewesen. Sie war sich sicher, daß er sie gesehen hatte.

Das war der Augenblick, schreibt sie – als habe sie in der Fülle von Details das Entscheidende zurückgehalten –, *als ich in ihn eingebrannt wurde, wie ein Brenneisen in ein Tier.*

Über ihre Jugend sehr unklare Angaben. Aber sie verfügt über Bildung. Das Zitat über das Brenneisen stammt von Racine.

Sie hieß Blanche Wittman, war bei ihrem Ableben 102 Zentimeter groß und wog 42 Kilo.

Sie war zu dem Zeitpunkt eine Art Torso, aber mit Kopf. Ihr linkes Bein bis zum Knie, ihr rechtes Bein bis zur Hüfte und ihr linker Arm waren amputiert. Deshalb wird ihre Größe als gering beschrieben. Im übrigen nichts Abweichendes an ihr. Früher, vor den Amputationen, wird sie von allen, die sie gesehen haben, als sehr schön beschrieben. Sie wurde im Lauf der Zeit aus gewissen Gründen von vielen betrachtet, auch vielen, die beschreiben konnten, also Schriftstellern. Objektiv gesehen gibt es nur eine Fotografie von ihr, und eine Anzahl Zeichnungen. Plus das berühmte Gemälde, auf dem sie nur schräg von der Seite zu sehen ist.

Aber sie ist schön.

Sie starb glücklich. Das behauptet sie in dem letzten Notizheft, dem roten Buch.

Ihre ungewöhnlich geringe Größe war also nicht angeboren. Nachdem sie sechzehn Jahre lang – zwischen 1878 und 1893 – mit der Diagnose Hysterie im Salpêtrière-Krankenhaus in Paris zugebracht hat, wird sie plötzlich gesund. Hysterie war eine zu dieser Zeit bei Frauen übliche Krankheit und befiel nahezu zehntausend Frauen, hörte aber nach Professor Charcots Tod auf, üblich zu sein.

Hörte praktisch auf. Oder bekam andere Namen.

Nach den Jahren an Charcots Forschungsabteilung in der Salpêtrière hatte sie in der Röntgenabteilung des Krankenhauses gearbeitet, war dort also nicht mehr als Patientin, und 1897 wurde sie von der polnischen Physikerin Marie Słodowska Curie als Laborassistentin angestellt.

Die Zeit als Hysteriepatientin in der Salpêtrière bezeichnet sie als glücklich, danach folgte eine Periode, die unglücklich war. Als nächstes kommt dann die Zeit im Laboratorium bei Madame Curie, die war wieder ganz und gar glücklich, möglicherweise mit Unterbrechungen aufgrund der wiederholten Amputationen.

Sie klagt nie darüber, beschnitten zu werden.

Im Fragebuch will sie ihre Geschichte erzählen, die Summe ziehen, und ihre Erfahrungen vergleichen, teils die mit den Hysterieexperimenten in der Salpêtrière, teils die mit den physikalischen Versuchen unter der Leitung von Marie Curie, *um auf diese Weise ein heilendes Bild von der Natur der Liebe zu schaffen,* die sie mit derjenigen der Strahlung des Radiums und derjenigen der Hysterie vergleicht.

Heilend?

Im ersten Teil des Fragebuchs über weite Strecken nur Sachlichkeit und Glück.

3.

Die Tatsachen, Blanche Wittmans Amputationen betreffend, sind folgende. Sie haben nichts mit ihrem Versuch zu tun, die Natur der Liebe zu erklären.

Am 17. Februar 1898 wurde in Marie Curies Laboratorium in Paris zum ersten Mal die Strahlungswirkung eines schwarzen und im Laboratorium bearbeiteten und ›gekochten‹ Erzes getestet, das Pechblende genannt wird; es wurde in der Gegend von Joachimsthal an der Grenze zwischen der Tschechoslowakei und der zukünftigen, späterhin ehemaligen DDR abgebaut. Pechblende war mehrere Jahrhunderte als Zusatz in keramischen Glasuren benutzt worden, um künstlerisch interessante Farbnuancen zu erzeugen. Pechblende war sogar eine wichtige Farbkomponente bei der Herstellung des berühmten böhmischen Kristalls: sie enthielt unter anderem den Grundstoff Uran, der für die Glasindustrie wichtig war.

Um die Experimente mit Pechblende durchzuführen und aus diesem Erz gewisse Urankomponenten zu gewinnen, waren sehr große Mengen erforderlich, mehrere Tonnen. Die Arbeit war mühsam und schmutzig und wurde in einem ausgeräumten Wagenschuppen neben Marie und Pierre Curies Laboratorium in Paris durchgeführt.

Hier wurde Blanche Wittman angestellt.

An diesem Tag, dem 17. Februar 1898 – der Tag hat eine gewisse Bedeutung in der Geschichte der Physik –, führte Marie die ersten gelungenen Experimente mit Pechblende durch, und man stellte fest, daß eine starke, eigentümliche und bislang unbekannte Strahlung abgelesen werden konnte. Man hatte bereits herausgefunden, daß Torium, der metallische Grundstoff, der 1829 von dem Schweden Jöns Jacob Berzelius entdeckt worden war, eine stärkere Strahlungswirkung hatte als Uran; jetzt fand man heraus, daß Pechblende eine weit stärkere Strahlung hatte. Stärker noch als reines Uran.

Was diese ›Strahlung‹ eigentlich war und woher sie kam, das zu untersuchen stand noch aus. Pechblende mußte, nahm Marie Curie an, einen speziellen Stoff enthalten, der noch unbekannt war und unbekannte Eigenschaften hatte.

Die Entdeckung erfolgte in diesem kleinen Laboratorium.

Das Laboratorium war eigentlich *ein alter Holzverschlag, ein verlassener Wagenschuppen aus Brettern, dessen Glasdach sich in einem so erbärmlichen Zustand befand, daß der Regen diesen elenden Schuppen die ganze Zeit durchtränkte, den die Medizinische Fakultät vor langer Zeit als Obduktionssaal benutzt hatte, der aber später nicht für würdig erachtet wurde, menschliche oder auch nur tierische Kadaver zu beherbergen. Er hatte keinen Fußboden, der Boden war lediglich von einer Asphaltschicht bedeckt, und das Mobiliar bestand aus einigen altertümlichen Küchentischen, einer schwarzen Tafel sowie einem alten gußeisernen Kamin mit rostigem Rohr;* in diesem elenden Schuppen hatte sie drei Jahre zuvor die Botschaft eines gewissen Professors Suess und des österreichischen Staates erreicht, der die Gruben in Sankt Joachimsthal besaß.

Die Botschaft lautete, daß ihnen Abfallprodukte von Pechblende beschert werden konnten. Hier hatten sie Radium gefunden.

Marie schrieb sogleich einen Bericht.

Ihre Hände sind noch schön. Blanche beschreibt sie als eine *unvergleichliche Schönheit, die auf unerklärliche Weise vom Zauber der Forschung eingefangen worden ist.* Am 18. Juli 1898 konnten die Mitglieder des Institut de France einem Vortrag von Maries Freund und ehemaligem Mentor Henri Becquerel lauschen, der übrigens seinen Namen später einer Strahlungseinheit geben durfte, die dem radioaktiven Zerfallsakt pro Sekunde entspricht, mit der man beispielsweise nach Tschernobyl radioaktiv verseuchtes Rentierfleisch im Inneren von Västerbotten messen kann; und er konnte mitteilen, daß Marie Curie und ihr Mann Pierre bei ihren Experimenten mit Pechblende etwas Neues und bis dahin Unbekanntes gefunden hatten. Das Thema seines Referats lautete: ›Über eine in Pechblende enthaltene neue radioaktive Substanz‹.

Dies war das erste Mal in der Geschichte, daß das Wort ›radioaktiv‹ benutzt wurde.

Noch kein Flügelschlag der Geschichte, nur leichte Verwirrung.

Die Quintessenz von Becquerels Vorlesung war, daß man jetzt einen Stoff gefunden hatte, der vierhundertmal aktiver war als Uran, und daß er ein ›Metall‹ enthielt, vielleicht einen Grundstoff, der vorher nicht bekannt war und der eigentümliche Strahlungseigenschaften besaß.

Gegen Ende des Jahres hatte dieser Stoff einen Namen bekommen. Man nannte ihn Radium. Der Stoff hatte ungewöhnliche Eigenschaften; je höher der Konzentrationsgrad wurde, den man bei der Gewinnung erzielte, desto deutlicher erkannte man, daß der Stoff spontan selbstleuchtend war.

Dieses ›Selbstleuchtende‹ kehrt auch in Blanches Fragebuch wieder.

Ihr Text nimmt an dieser Stelle einen nahezu poetischen Charakter an. *Als man mich einmal während meiner Vorführungen im Salpêtrière-Krankenhaus gelobt hatte, war das Wort ›selbstleuchtend‹ benutzt worden für den Eindruck, den ich gemacht hatte; doch ahnte ich damals kaum, daß dieses Wort, gleichsam aufs neue vom Zauberstab des Schicksals hervorgelockt, in der Welt der Physik und der Wissenschaft wiederkehren würde, in der ich jetzt meinen Einsatz leisten sollte, um den Zusammenhang zwischen Radium, Tod, Kunst und Liebe zu erklären.*

Radium, Tod, Kunst und Liebe. Sie weiß nicht, wovon sie redet. Doch das ist wohl die einzige Art und Weise. Wie sollte man sonst?

Der Tod und die Schönheit lagen vielleicht sehr dicht beieinander. Man muß ihr verzeihen.

Marie, schreibt Blanche, pflegte oft von der Wohnung zum Laboratorium in der Rue Lhomond zu spazieren, um *ihre Domänen zu inspizieren.* Blanche – damals noch nicht amputiert – pflegte sie bei diesen ›heimlichen‹ Besuchen im Laboratorium zu treffen.

Sie schreibt, *unsere lieben Produkte, für die wir keine Schränke hatten, standen auf Tischen und Bänken aufgereiht; von allen Seiten konnten wir ihre schwach leuchtenden Konturen sehen, und dieser schimmernde Schein, der frei im Dunkeln zu schweben schien, rief jedesmal neue Rührung und Verzauberung bei uns hervor.*

Es sind Blanches Worte. Der Ausdruck ›unsere‹ lieben Produkte ist bemerkenswert. Sie ist doch nur die Assistentin.

Sie schreibt später, auf die Frage **Wann wurde Marie Künstlerin?**, daß zwischen ihr und Marie eine große Vertrautheit entstanden war, fast eine Liebe, eine Liebe, die angesichts des Schönheitserlebnisses, das die geheimnisvolle und farbenreiche Strahlung ›des Radiums‹ ihnen bescherte, noch verstärkt wurde. Vor ihren Augen war das Tor zu einer neuen und rätselhaften Welt geöffnet worden, und in dieser Welt wurden blau schimmernde Signale an den Menschen Blanche ausgesandt, der zu dem Zeitpunkt noch nicht beschnitten worden war.

Sie scheint die Signale als eine Art Kunstwerk aufgefaßt zu haben. Es ist von Marie geschaffen. Kein Wort von Pierre.

Im Fragebuch findet sich im übrigen ein kürzerer Abschnitt, der mit der Frage eingeleitet wird: **Was ist denn Kunst in unserer modernen Zeit?**

Sie beantwortet die Frage mit einer ausführlichen und beinah kindlich begeisterten Schilderung der Weltausstellung 1900 in Paris. Der Text ist voll von Bewunderung angesichts der revolutionierenden wissenschaftlichen Landgewinne des anbrechenden Jahrhunderts, dieser *atemberaubenden Erlebnisse und Möglichkeiten.* Wissen, das sie von Marie hat, mit der Betonung auf dem Radium.

Deshalb hält sie sich lange beim Physikerkongreß, einem Teil der Weltausstellung, auf.

Um den Eiffelturm waren eine Menge von Pavillons errichtet worden: zu diesen gehörte ein Elektrizitätspalast, wo das *magische Fluidum* (!), wie man die Elektrizität nannte, vorgeführt wurde. *Wissenschaft und Kunst gingen dort eine Verbindung ein.* Eine besondere Attraktion war die amerikanische Tänzerin Loie Fuller, die in einem eigens angefertigten magischen Haus tanzte, in einem Raum, der von elektrischen Strahlen beleuchtet war, die durch bewegliche Filter getönt wurden. Ein beweglicher Bürgersteig, durch Elektrizität angetrieben, führte den Zuschauer von Ort zu Ort. Die Elektrizität illuminierte, so kann man sagen, diesen Durchbruch der Modernität; sie schreibt über dies alles in einem feierlichen Ton.

Doch es war etwas anderes, weitaus Faszinierenderes, was Forscher zur Weltausstellung lockte.

Es war der neuentdeckte Stoff Radium, und die Radioaktivität. Forscher aus der ganzen Welt, schreibt Blanche, kamen nach Paris, und sie kamen, um Marie und ihren Ehemann und Mitarbeiter Pierre Curie aufzusuchen. *Radioaktivität war das Wort des Tages.* Alle stellten sich die Frage, was das war, diese gefärbten Mitteilungen aus einer unsichtbaren Welt, die von manchen noch ›Becquerelstrahlen‹ genannt wurden, die so irrational auftraten und manchmal mittels eines Magneten abgelenkt werden konnten, doch manchmal auch nicht. Eine Art Fluidum, hatten einige gesagt und wieder angefangen, von Mesmer zu sprechen; aber dies hier schien dennoch etwas anderes zu sein, wie *ein nächtlicher Traum, der kurze Augenblick des Erwachens, in dem das Geheimnisvolle noch da ist, aber wirklich erscheint und dann schnell verschwindet.*

Diese radioaktiven Strahlen, die es im Raum und in der Wirklichkeit vielleicht die ganze Zeit gegeben hatte! aber niemand hatte sie gesehen! *vielleicht hatte Phaedra von ihnen gesprochen, als sie das Gefühl hatte, Hippolytos sei in sie eingebrannt worden, als sei sie ein Tier und er ein Brenneisen.*

Das ist die Einleitung zu dem gelben Buch. Keine Erklärungen außer sinnlos poetischen. Der Hinweis auf Racine wieder sehr verblüffend.

Mit der Zeit wurde die Forschung über Uran und Radium zu etwas anderem. Doch dies war ein Durchbruch, *ein Sternkreis durchbrochen* (!) – oder vielleicht ein Angriff auf die Rationalität der Aufklärung.

Man verstand nicht, was es war.

Diese Strahlen konnten dichte Schirme durchdringen, aber von Blei gestoppt werden! Es war bekannt, daß sie Glas färben konnten, die Pechblende hatte ja die schönen böhmischen Kristallgläser durch Jahrhunderte hindurch gefärbt! Jahrhunderte! Und jetzt wurden blau schimmernde Nuancen erzeugt, die nicht rational erklärt werden konnten.

Der Fragen waren viele. War es ein Grundstoff? Dieser Stoff konnte auf jeden Fall Radioaktivität in andere Stoffe induzieren; Blanche hatte, schreibt sie, Tag für Tag mit Marie im Laboratorium gestanden. Sie hatte Maries Messungen Minute um Minute verfolgt und ein fast verklärtes Lächeln auf ihrem Gesicht gesehen: *und da verstand ich, daß der ganze Raum mit Radioaktivität eingefärbt war.*

So faßt sie es zusammen. Drei Jahre Arbeit mit Pechblende, diesem schmutzigen Schlackenhaufen von mehreren Tonnen, beschrieben als ein metaphysisches Kunstwerk an einem Nachmittag in Paris.

Umstrahlt von der Schönheit des neuen Stoffes war sie so, gemeinsam mit ihrer Freundin Marie, durch das Tor zur Modernität des 20. Jahrhunderts eingetreten.

Marie Curie, oder ›Maria‹, wie Blanche sie im Fragebuch manchmal nennt, hatte einmal ihre Hand ergriffen und still dagestanden und zu ihr gesprochen, oder zu sich selbst. *Ich verstehe das Launische dieser Strahlung nicht, hatte Marie gesagt, sie tritt spontan auf, als stünde ich vor einer Meeresoberfläche und sähe dort etwas sich bewegen, heraufsteigen, als sei das Meer ein lebendes Wesen, ein Meerestier, oder eine lebende Blume, und sähe die Blätter sich mir entgegenstrecken, und diese Radioaktivität scheint mir gegen die erste Regel der Thermodynamik zu verstoßen; was ist der Ursprung, die Urquelle dieser Kraft?*

Das spontane Auftreten der Strahlung, hatte sie zu Blanche, ihrer noch schönen und nicht amputierten Laborassistentin gesagt, deren Vergangenheit und Karriere als Medium in der Salpêtrière sie von Anfang an fasziniert hatten, ist ein zutiefst verwirrendes Rätsel. Blanche hatte gesagt: Wie die Liebe! Aber Marie hatte sich ihr da mit einem fragenden Lächeln zugewandt, das plötzlich erlosch, als sei sie zunächst angesichts dieses eigentümlichen Bildes unsicher gewesen, habe dann aber ihr Mißfallen ausdrücken wollen. *Vielleicht*, meinte Blanche, *weil sie als Wissenschaftlerin alle poetischen Metaphern mißbilligte und noch nicht bereit war, den Schritt in die aufreibende und zerreißende Welt der Kunst zu tun.*

So hatten sie miteinander gesprochen, in diesen Fragmenten spiegeln sich ihre Gespräche im Fragebuch wider. Das war, bevor Blanche Wittman ihr zum Scheitern verurteiltes Projekt begonnen hat, die wissenschaftliche und zugleich sinnliche Erklärung für das der Liebe innewohnende Wesen zu finden. So hatte Marie Curie noch gedacht und reflektiert, bevor sie, weit später, durch Blanche zu einer anderen Einsicht gebracht wurde, und durch das Fragebuch. Einer Einsicht, von der sie auch durch ihr Interesse an Blanche Wittmans Liebesbeziehung zu Professor Charcot, an dem von der

Freundin behaupteten Mord an diesem und den Versuchen, eine Liebe zu erreichen, die nicht zu Tod und Destruktion führte, nicht loskam.

Die Liebe überwindet alles.

Ein Jahr danach war Blanche zum erstenmal erkrankt. Es war unerklärlich. Die erste Operation hatte sie den rechten Fuß gekostet.

So fing es an.

Doch lange noch sollte Blanche Wittman sich an jenen Sonntagnachmittag erinnern, als sie und Marie, zwei schöne Frauen, allein im Laboratorium und Hand in Hand angesichts des unerklärlichen Mirakels, von den rätselhaften Farben und Strahlungen umgeben waren, die, ohne daß sie beide sich dessen bewußt waren, den Eintritt der Modernität in das Museum der Liebe gestalteten, das die noch gänzlich vollkommenen Körper dieser beiden Frauen darstellten.

4.

Heute wissen es ja alle.

Blanche und Marie sollten schließlich beide an diesen rätselhaften, schönen und verlockenden Radiumstrahlen sterben. Die so geheimnisvoll schimmerten, aber die Entdeckung waren, die wie ein zu einem schwarzen, bedrohlichen Raum geöffnetes Tor die Weltgeschichte verändern sollte.

Erst Blanche. Dann Marie.

Lange wollte man nichts sehen und alles totschweigen.

Arbeiter in den Laboratorien starben in unbegreiflich großer Zahl, die meisten an Leukämie, und viele wurden, ähnlich wie Blanche, beschnitten. Dennoch wurde diese Strahlung lange als heilkräftig angesehen: die radioaktiven Heilbrunnen sehr populär, die radioaktiven Flaschen mit ›Curie-Haarwasser‹, das gegen Haarausfall helfen sollte, viel verkauft. Eine ›Crema Activa‹ versprach ›Wunder‹. Eine europäische Pharmakopöe von 1929 verzeichnete achtzig

Patentarzneien mit radioaktiven Ingredienzen, sämtlich wunderwirkend: Badesalze, Linimente, Stuhlpillen, Zahnpasta und Pralinen.

1925 hatte sich das Bild jedoch bereits verändert. In diesem Jahr hatte Margret Carlough, eine junge Frau, die als Farbaufbringerin in einer Fabrik für Wanduhren in New Jersey arbeitete, ihren Arbeitgeber U.S. Radium Corporation verklagt. Sie bemalte Zifferblätter mit selbstleuchtender Farbe.

Neun Zifferblattmaler waren bereits mit schweren Wunden im Mund als erstem Symptom gestorben: Sie mußten den spitzen Pinsel mit ihrer eigenen Spucke befeuchten, und nach relativ kurzer Zeit waren wachsende und schließlich keineswegs selbstleuchtende Krebsgeschwüre aufgetreten. Zähne zersetzten sich, Backen bekamen unheilbare Wunden, Zungen wurden schwarz, offene schwarze Münder bezeugten, daß die schöne selbstleuchtende Farbe vielleicht eine Strahlung enthielt, die tödlich war.

Andere litten an schwerem Blutmangel, all das wurde später als ›Radiumnekrose‹ bezeichnet. Das Unternehmen, das die schön bemalten Uhren herstellte, stritt jedoch einen Zusammenhang ab, nannte die Symptome ›Hysterie‹, was Blanche, von der Nachwelt als ›Königin der Hysterikerinnen‹ bezeichnet, vielleicht als kränkend betrachtet haben würde, vielleicht auch als eine Ironie der Geschichte.

Doch davon erfuhr sie nichts, sie war seit langem tot. Dies war später. Es ist jedoch eine Erklärung dafür, warum Blanche langsam ihre Beine und ihren linken Arm verlor. In der Geschichte, die sie erzählen wollte, die von Marie Curie, in gewissem Umfang von Jane Avril, aber besonders von Blanche und Professor Charcot handelt, geht es nicht um ihre Vergiftung, und ebensowenig um Maries viel langsamere Vergiftung und Tod. Etwas anderes ist der Antrieb für ihr Fragebuch.

Man kann auch sagen: Der Punkt, von dem aus wir die Erzählung betrachten, ist ein Torso.

Ich kann mir vorstellen, daß Marie eine Art Verantwortung für sie empfand.

Deshalb ließ sie Blanche bei sich wohnen, pflegte sie, sprach mit ihr, lauschte ihren Texten, las im Fragebuch. Das glaubte ich jedenfalls am Anfang. Doch nach und nach wurde es ja offenbar: Es gab andere Gründe für Madame Marie Słodowska Curie, zweifache Nobelpreisträgerin in Physik und Chemie, sich für diese Frau zu interessieren.

Blanche hatte ja ein bemerkenswertes Leben gehabt.

Sie behauptete, Jean Martin Charcot getötet zu haben, den weltberühmten Arzt, den sie geliebt hatte. Sie sagte, sie habe den Mord aus Liebe begangen, und damit auch für Marie einen Weg aufzeigen wollen, nicht dadurch, daß sie zu anderen Morden ermunterte, sondern dadurch, daß sie den Weg wies zum vollkommenen und wissenschaftlichen Verständnis der Natur der Liebe.

Zauberei!

5.

Es tut weh, sich auf seine Füße zu stellen und zu gehen.

Einmal hatte Charcot sie Herrn Strindberg vorgeführt. Das ist der einzige schwedische Anknüpfungspunkt zu Blanche und Charcot, den ich finden kann. Die Experimente mit Hysteriepatienten in der Salpêtrière fanden ja öffentlich statt, auch wenn der Begriff ›Öffentlichkeit‹ zunächst nur eine sorgfältig ausgewählte Schar wissenschaftlich Interessierter bedeutete.

Später wurden es mehr.

Da kamen die Vorführungen im Auditorium. Das wissenschaftlich untersuchte Objekt war nicht eine spezielle Frau, sondern die Frau an sich, und ihre Natur.

Das Gerücht von diesen Experimenten hatte sich unter den Intellektuellen in Paris verbreitet, und das Gerücht hatte besagt – dies war im Herbst 1886 –, daß jetzt Experimente durchgeführt würden, die zeigten, daß die Frau ›gewissermaßen als eine Maschine zu betrachten war, daß bestimmte

Empfindungen durch maschinelle Einwirkungen hervorgerufen werden konnten, so daß man durch Druck auf bestimmte, sinnreich erdachte Punkte einen Gefühlsausbruch provozieren konnte. Und diese Gefühle konnten nicht nur herbeigerufen, sie konnten auch zurückgerufen werden, so daß die hysterischen und konvulsivischen Anfälle auf diese Weise bewiesen, daß die Frau, gerade durch ihre Flucht in die Hysterie und durch ihren wissenschaftlich kontrollierten Rückzug aus derselben, verstanden werden konnte, daß die Zeichen abgelesen und kontrolliert werden konnten.‹

Zum erstenmal bestand die Möglichkeit, den dunklen und unbekannten Kontinent der Frau zu kartieren, auf die gleiche Weise, wie Entdeckungsreisende, wie Stanley! Teile von Afrika kartiert hatten.

Das Bild des geographischen Entdeckungsreisenden kehrt ständig wieder.

So hatte das Gerücht sich verbreitet, und war in einem gewissen Maße noch dadurch verstärkt worden, daß diese Frauen *in ihren hysterischen Zuständen Nacktheit aufwiesen, dieselbe aber wissenschaftlich motiviert und nicht mit Unsittlichkeit zu vergleichen war.*

Auf diese Weise war auch ein allgemeines Interesse entstanden.

Das Gerücht sprach in gewisser Weise die Unwahrheit. Charcot meinte, hatten seine Anhänger hervorgehoben, keineswegs, daß die Frau nur eine Maschine sei, mit Druckpunkten, aber daß das Innere des Menschen aufgesucht werden konnte! Durch diese mechanische Betrachtungsweise! Wie ein Abstieg in die Hekla! ein Tunnel abwärts! wie der bekannte Wissenschaftler Jules Verne bewiesen hatte! Vielleicht war er Schriftsteller. Aber warum diese rigiden Grenzen zwischen Kunst und Wissenschaft! Der Mittelpunkt der Erde glich dem des Menschen! so war es.

Daß die Experimente nur die erste Tagesetappe auf einer längeren, sehr gefahrvollen Expedition ins Innere des dunklen Rätsels darstellten, das der Mittelpunkt des Menschen war.

Professor Charcot war nicht naiv. Er wurde beobachtet. Solche Aufklärer können sich Naivität nicht erlauben.

Die Experimente waren in gewissem Umfang öffentlich. Blanche hatte erfahren, daß der berüchtigte, aber interessante Herr Strindberg anwesend sein würde, und hatte ihn auch gesehen.

Er stand weit hinten und sah gespannt, aber abweisend aus.

Sie hatte ihn ignoriert. Nach der Vorstellung war er nicht an sie herangetreten und hatte sich bedankt, oder Konversation gemacht. Deshalb hatte sie ihn fast vergessen, bis ihr jemand erzählte, daß die Experimente, und sie, einen so starken Eindruck auf ihn gemacht hatten, daß sie später auf ein paar seiner Theaterstücke abgefärbt, oder eher diese eingefärbt hatten.

Eins hieß ›Verbrechen und Verbrechen‹, ein anderes hieß ›Inferno‹. Nein.

Sie hatte die Titel vergessen.

Charcots Assistent Sigmund, der Deutscher war oder Österreicher, war ganz besonders aufgeregt gewesen, weil er diesen schwedischen Schriftsteller als sehr wichtig einschätzte, beinah wie Ibsen, als den zweitgrößten unter den Skandinaviern. Wie dieser war Strindberg intensiv mit Studien über die Natur der Frau beschäftigt, und der der Liebe. Der deutsche oder österreichische Assistent hatte Blanche jedoch erklärt, daß Ibsen in gewisser Weise die Liebe immer als Machtspiel betrachtet habe, was ihn zu einem habilen, doch im Grunde uninteressanten Künstler machte, beinah zu einem politischen Schreiberling. Und daß Herr Strindberg, der offenbar in vielerlei Hinsicht unausgeglichen war, in dieser Frage häufig interessantere Dialoge schreiben konnte als der Norweger.

Warum, hatte Blanche gefragt.

Aufgrund seiner Angst vor der Frau, und seiner Einsicht, daß sie eine unerforschte Landschaft ist, in der man nach dem unbekannten Punkt in der großen Erzählung des Menschen suchen muß, von dem aus das Erschreckende und Unerklärliche logisch wird, hatte Sigmund geantwortet.

Das Experiment war sehr gelungen gewesen. Herr Strindberg fast unsichtbar unter den Zuschauern.

Blanche hatte, mit Leichtigkeit, das dritte katatonische Stadium erreicht, das anschließend zurückgerufen worden war. Als es vorüber war, hatte sie das Auditorium betrachtet, und besonders Herrn Strindberg. *Für einige Augenblicke beobachtete ich, daß sich sein Mund gleichsam atemlos öffnete, und daß sein Blick nicht mehr bohrend war, aber auch kein Mitgefühl mit mir, einer kleinen Schwester in äußerster Not, ausdrückte. Ich erinnerte mich da plötzlich an meinen Bruder, an den ich mich sonst nie erinnere, abgetrennt, wie er von meiner Liebe und meinen Erinnerungen ist.*

Das war das einzige Mal, daß Blanche in direkten Kontakt mit einem Schweden oder mit einem Skandinavier überhaupt kam, aber es kann ihre Auffassung von den Nordleuten im Zusammenhang mit den Ereignissen bei Maries zweitem Nobelpreis und dem Versuch der Schweden, den Preis der Liebe wegen zu widerrufen, geprägt haben.

6.

Aus dem Fragebuch geht hervor, daß Blanche schon als Sechzehnjährige befruchtet wurde.

Ihr Vater, der Apotheker war und seine Tochter auf viele Weisen liebte, führte da, auf ihre eindringlichen Aufforderungen hin, eine Abtreibung bei der Tochter durch.

Als er das Instrument in sie einführte, begann er, eine Melodie zu summen, die, wie sie glaubte, von Verdi stammte.

Da hatte sie Angst bekommen, weil sie erkannte, daß auch ihr Vater, der ja nur in gewissem Maße für die Situation verantwortlich und am Ende gezwungen gewesen war, ihren *tränenreichen Bitten und den Appellen an seine Vatergefühle* nachzugeben, vor Angst außer sich war. Es war jedoch eine andere Angst als die des Herrn Strindberg.

Im übrigen sehr spärliche Angaben über den Vater.

Blanche hinterließ auch keine eigenen Kinder. Im Jahr bevor sie in die Salpêtrière eingewiesen wurde, war sie, zwischen ein paar anderen Anstaltsaufenthalten, zum ersten Mal nach langer Zeit in ihr Elternhaus zurückgekehrt, da der Vater im Sterben lag. Er war mager und gelb und *früher in London geboren,* eine eigentümliche sprachliche Wendung. Er hatte gewünscht, daß sie auf einem Stuhl neben dem Krankenbett sitzen und bei ihm wachen sollte. Als er hierum bat, war sie heftig aufgestanden und hatte das Zimmer verlassen und war erst am folgenden Tag zurückgekehrt.

Warum, hatte er da gefragt; sie hatte nicht geantwortet.

Sie hatte Wolldecken geholt und sich neben seinem Bett auf den Fußboden gelegt und geschlafen. Bist du da, hatte er gerufen; sie hatte nicht geantwortet. Ich weiß, daß du da bist, hatte er eine Stunde später wiederholt. Sie antwortete nicht. Wenn du mich liebst, meine Tochter, befreie mich von dieser Qual und verschließe meinen Mund und meine Nase und beende mein Leiden. In der folgenden Nacht hatte sie auf einem Stuhl gesessen und seinen Todeskampf betrachtet. Ich wußte, daß du kommen würdest, hatte er geflüstert. Warum, hatte sie geantwortet. Weil du mich liebst und nicht frei werden kannst, jetzt bitte ich dich.

Da hatte sie die Hand über seinen Mund gelegt und sie nicht eher entfernt, bevor er fast erstickt war.

Warum, hatte sie gefragt. Er hatte nicht geantwortet, aus Angst vor ihr.

Hab keine Angst, hatte sie da gesagt, aber ich muß wissen warum. Er hatte seinen Kopf geschüttelt. Sie hatte aufs neue ihre Hand über seinen Mund gelegt und seine Atemwege verschlossen. Als sie dann ihre Hand fortnahm, war es zu spät. Sie meinte, ein schwaches, aber triumphierendes Lächeln auf dem Gesicht des gerade Entschlafenen zu sehen. Warum, hatte sie verzweifelt und wütend gefragt, aber es war zu spät.

Im Fragebuch gibt es ein Kapitel, das mit der Frage **Warum?** eingeleitet wird, doch dort wird nur die Beschreibung des Bruders vom Tod des Vaters wiedergegeben, ganz ohne dramatische Momente, und ohne in irgendeiner Weise ihren persönlichen Einsatz in diesem Todeskampf anzudeuten.

Das ist alles über den Bruder, abgesehen von einigen leicht durchschaubaren Ausflüchten.

Über Blanches Mutter ein etwas ausführlicherer Bericht.

Er wird mit der obligatorischen Frage eingeleitet, diesmal **Wann sah ich meine Mutter zum letzten Mal?,** und die Antwort beginnt in einem fast biblischen Tonfall. *Als ich Kind war, wie ein Kind sprach, und kindliche Gedanken hatte, und nicht wie jetzt klar sah, verstarb meine Mutter,* und danach geht es in einem normaleren Tonfall weiter; das *Ich,* das spricht, ist Blanche selbst.

Ich war fünfzehn Jahre alt, schreibt sie, hatte einen Bruder, der sechzehn Jahre alt war, mein Name war schon damals Blanche, doch man nannte mich Ota. Niemand weiß warum. Aber als ich sechzehn wurde, und man begann, Angst vor mir zu haben, beschloß ich, daß mein Name Blanche sein sollte; und keiner wagte mir zu trotzen. Meine Mutter starb an Liebeslust und Leberkrebs, wie ich scherzhaft zu sagen pflege. Sie war ungewöhnlich klein, nur einhundertfünfzig Zentimeter groß, ungefähr die Größe, der ich mich jetzt langsam zu nähern beginne. Sigmund hätte deshalb mit Sicherheit behauptet, daß ich immer in meiner Mutter hatte aufgehen wollen. Jetzt nähere ich mich ihr also, nach der nächsten Amputation habe ich sie überholt. Sie hatte dunkle Augen und flüsterte immer cara, cara, cara. Meine Mutter war Korsin. An meinen Bruder erinnere ich mich nicht.

Meine linke Hand, die nicht mehr da ist, schmerzt nicht mehr, kann sich aber an das Streicheln erinnern. Ich denke daran als das Gegenteil von Phantomschmerzen, und nenne es Phantomliebe. Sie erinnert sich nicht nur an das Streicheln, sondern auch an Haut, die sie gestreichelt hat. Die Hand gibt, wenn sie streichelt, aber sie nimmt auch entgegen. Einmal erwähnte ich dies gegenüber Professor Charcot, er starrte mich lange an, als habe es sich um einen Vorwurf gehandelt; jetzt ist die Hand fort, doch nicht die Erinnerung.

Phantomlust ist ein anderes Wort, ich will es aber Phantomliebe nennen.

Das Abgetrennte und Verschwundene hat auch seine Liebe, seine Erinnerungen. Vielleicht wird es einmal möglich sein, diese Phantomliebe zu beschreiben. Ich kann das Gewicht meiner Mutter nicht schätzen, mich aber sehr wohl an ihre Hand erinnern, und ihre Haut. Es ist natürlich, daß ich mich an meinen Bruder nicht erinnern kann, er ist abgetrennt, wie meine linke Hand und mein linker Unterschenkel, aber die Erinnerung an ihn, das Abgetrennte, gibt trotzdem keine Signale von Schmerz oder Liebe ab.

Meine Mutter starb in einem Sommer, als eine große Hitze Paris heimgesucht hatte; es dauerte drei Tage, bevor einer meiner Onkel einen Wagen beschaffen konnte, um sie in ihre Heimatstadt Sceaux zu transportieren, wo sie begraben zu werden wünschte. Sie wollte nicht mit meinem Vater das Grab teilen, nur mit ihm begraben werden, wenn er dann noch lebte, wie sie es in ihrer erschreckenden Form von Liebe auf dem Totenbett ausdrückte. Ich war die einzige, die meinen Onkel auf ihrer Leichenfahrt zu begleiten wünschte. Sie roch.

Es war der süße Gestank meiner Mutter, der Korsin, die nicht wünschte, das Lager im Grab mit meinem Vater zu teilen, es sei denn, er würde lebend begraben.

Sie drückte sich wirklich so aus. Man mußte sie so verstehen: daß sie sich seinen verzweifelten Kampf, um sich aus der Eingeschlossenheit des Sargs zu befreien, als Vergeltung vorstellte. Wir, mein Onkel und ich, transportierten sie in einem Wagen. Es war der süße Gestank meiner Mutter, der die Pferde spornstreichs vorwärtstrieb.

Hoppla! rief mein Onkel munter aus. Ich liebte sie.

Ich habe mich dafür entschieden, ihre Äußerung über meinen Vater, erstickt in einem Sarg, als ein poetisches Bild ihrer beider Ehe zu betrachten, doch als ich dies ihr gegenüber andeutete, starrte sie mich nur an und erklärte, von Liebe verstünde ich jedenfalls nichts, und auch nichts von Poesie; letzteres fügte sie mit einem sanften und warmen Lächeln hinzu.

Von ihr habe ich gelernt, faktische Ereignisse nicht als metaphorisch zu betrachten. Etwas ist, was es ist. Nichts anderes. Das war eine nützliche Lektion, die ich auch Marie beizubringen versucht habe.

Am Fähranleger, bei der Überfahrt über den Fluß Cure, schien die Kutsche von Trauer und Verzweiflung überwältigt zu werden. Die Pferde wurden von dem süßen Gestank der Leiche meiner Mutter eingeholt, als die Kutsche vor dem Hinauffahren auf die Fähre anhielt, die Zugtiere wurden von einer bei Pferden verständlichen und natürlichen Raserei gepackt, und der Wagen, ich meine unsere Trauerprozession, war deshalb während des Hinauffahrens auf die Fähre von einer fast panischen Hast geprägt, und der Wagen kippte um.

Der Sarg glitt heraus und trieb langsam in die Mitte des Flusses hinaus, wo er versank.

Ich pflegte mir später oft vorzustellen, daß ich dort stünde, am Ufer des Flusses, nicht hysterisch weinend, sondern ganz ruhig, und meine kleingewachsene Mutter in ihrem Sarg, umgeben von ihrem süßen Geruch, in der Tiefe des Flusses verschwinden sah, und daß ich, die noch nicht erwachsene Frau, verstand.

Ich schreibe ›mir vorzustellen‹, nicht ›mich zu erinnern‹.

Ich begriff, daß der süße Gestank von Trauer, Tod und Liebe sich durch dieses Verschwinden im Wasser verflüchtigte, als würde sie von des Meeres tiefstem Dunkel verschlungen, und daß dies trotzdem die Phantomliebe wurde, die mein ganzes Leben hindurch bleiben sollte, wirklicher als alles andere, obwohl der wirkliche Gestank der Leiche meiner Mutter sich verflüchtigte und verschwand, und daß am Schluß nur die ruhige Oberfläche des Flusses übrigblieb, während wir alle hilflos ihrem Verschwinden zusahen.

Ich schreibe dies als Antwort auf die Frage, wann ich meine Mutter das letzte Mal sah. Es war am 26. Juli 1876 um vier Uhr am Nachmittag.

Sie verschwand hinab in die Umarmung des Flusses, als würde sie verschlungen von der Liebe des Flusses.

Und erinnere ich mich, daß ich da, von einer großen Feierlichkeit ergriffen, wünschte, einmal, um meiner Mutter wil-

len, die die Liebe nie erleben durfte, die endgültige Erzählung über die Liebe schreiben zu können, über die an der Oberfläche wirkliche, aber auch über die Phantomliebe.

Die allein den Verstümmelten vorbehalten war, den zu einem Torso Reduzierten, denen, deren Aufgabe deshalb um so größer sein muß, nämlich die des Erinnerns und Gedenkens.

In dem Augenblick, als sie verschwand (und darin liegt die Antwort auf meine Frage), war die begonnene Erzählung da. Die den süßen Gestank von Tod enthält. Die Wut auf die Lebenden. Die Verlockung der Lust, die ihr ihr ganzes Leben lang verwehrt war, und von der ich so sehr wünsche, sie hätte sie erleben dürfen. Ach! ich schreibe dies in Verzweiflung und Sorge, oh, wie ich wünsche, sie hätte dies, das ihr verwehrt wurde, erleben dürfen. Aber jetzt nur Trauer angesichts der Liebe, die sie nie erleben durfte.

Die dies schrieb, hieß Blanche Wittman.

Sie war eine schöne Frau mit weichem, fast kindlich unschuldsvollem Gesicht, einer Andeutung von Wangengrübchen, anscheinend dunklem und ziemlich langem Haar, das ist alles, was man auf dem Gemälde, das existiert, erkennen kann, und auf der einzigen Fotografie.

Sie hat Ähnlichkeit mit jemandem.

Die Geschichte ist kurz zusammengefaßt folgende. Sie kam als Achtzehnjährige ins Salpêtrière-Krankenhaus in Paris und wurde mit nervösen oder, wie man später feststellte, hysterischen Symptomen als Patientin aufgenommen. Sie war früher anders behandelt worden, also *staccato*!, doch nun wurde sie vom Schloß umarmt. Ihre Melancholie äußerte sich in *somnambulen Krämpfen*, die sich jedoch nach einer Stunde lösten; man stellte schnell fest, daß es sich nicht um einen Typ von Epilepsie handelte, sondern eben um Hysterie. Der Chef des Krankenhauses, ein Professor Charcot – später berühmt als der erste, der verschiedene Formen von Sklerose, u.a. multiple Sklerose und gewisse neurasthenische Erkrankungen (›Charcot's disease‹) diagnostiziert hatte –, wurde von einer eigentümlichen Bindung an sie, fast

Ergebenheit für sie, ergriffen, und sie wurde seine Lieblingspatientin.

Sie *wirkte bei den Experimenten mit sich selbst mit.*

Charcot war bei ihrer Begegnung dreiundfünfzig Jahre alt. Er benutzte den Ausdruck ›Experiment‹ und glaubte nicht, daß es ihre Fähigkeit zur theatralischen Gestaltung bestimmter wissenschaftlicher Probleme war, die ihn fesselte. Auf die Frauen, die er während der Experimente mit Hysterie vorführte, später u.a. Jane Avril, hatte er keine Lust verspürt. Er gibt nie zu, nicht vor der letzten Reise nach Morvan am Ende seines Lebens, daß er Lust auf Blanche verspürte; aber sie geht im Fragebuch davon aus, als sei es eine selbstverständliche Tatsache.

Er ist nicht naiv. Er beschreibt sich selbst als einen Aufklärer, mit der selbstverständlichen Sehnsucht eines solchen nach unerforschten Kontinenten, und einem starken und rationalen Glauben an die Unzulänglichkeit der Vernunft.

In einem Aufsatz über Franz Anton Mesmer hatte Charcot in aller Schärfe die Gefahr betont, daß Expeditionsleiter betrogen werden konnten, und vor Naivität gewarnt. Er war verheiratet und hatte drei Kinder. Er hatte auch eine andere Patientin als Assistentin und Demonstrationsobjekt gehabt, eine Tänzerin mit Namen Jane Avril, doch sie wurde nach der Begegnung mit Blanche ›gesundgeschrieben‹ und verließ das Krankenhaus nach etwas, das fälschlicherweise als Konflikt zwischen den beiden Frauen bezeichnet wurde.

Sie wurde später als Modell des Malers Toulouse-Lautrec berühmt.

Charcot besaß die Kindlichkeit eines Entdeckungsreisenden und Forschers. Er bekannte sich zu den Idealen der Aufklärung, meinte aber, daß Erfinder, Untersucher, Physiker und Entdeckungsreisende jetzt neue und geheimnisvolle Landschaften erforschen sollten. Die Psyche der Frau war ein solcher Kontinent, nicht wesensverschieden von der des Mannes, aber gefährlicher. Die Frau war das Tor, schreibt er, durch das man in den dunklen Kontinent eindringen mußte. Dieser war reicher und rätselhafter als der des Mannes. Jane Avril findet sich auf vielen von Toulouse-Lautrecs besten Zeichnungen: dünn, tanzend, einmal mit abgewandtem Gesicht, doch manchmal, meistens, im Halbprofil sichtbar, wie eine, die viel gesehen, aber beschlossen hat, sich abzuwenden.

Mit Blanche als Figurantin wurde der Eintritt in die Natur der Frau und des Menschen jeden Freitag – später Dienstag – um 15.00 Uhr vor einem speziell geladenen Publikum in Szene gesetzt.

Charcot hatte einen österreichischen Assistenten mit Namen Sigmund.

Das Jahr bei Charcot sollte alles prägen, was dieser später tat; seine Übersetzungen von Charcots Vorlesungen ins Deutsche sind ›bezaubernd‹. Freud meinte, daß Charcot sein Leben verändert habe.

Er kann auch Blanche gemeint haben.

Sigmund konnte sich in gewissem Sinne nie ganz von seinem Expeditionsleiter befreien. Sie glaubten beide, den Punkt in der Landschaft gefunden zu haben, von dem aus die Erzählung betrachtet werden konnte, und setzten von dort aus nicht nur die Natur der Frau in Szene, sondern auch die der Liebe, die ein religiöser Ritus war, und ein Machtspiel.

Natürlich traten auch andere Hysterikerinnen bei Charcots Vorführungen auf. Doch Blanche ist die einzige, die erwähnt wird. Warum sollte da nicht Charcot selbst gebrandmarkt werden! Wie ein Tier!

In ihrer Jugend, schreibt Blanche, hatte sie einen französischen Roman über ein junges dänisches Mädchen gelesen, eine Zwölfjährige, die den dänischen König Christian den Vierten eingefangen und von sich abhängig gemacht hatte, *wie von Drogen*. Man glaubte, er sei Alkoholiker, aber tatsächlich war er nur von ihr versklavt worden! *Hoppla!*, wie auch Blanches Onkel einmal ausgerufen hatte.

Dieses *hoppla*. Wie eine Brandwunde.

Der Roman hatte in den ersten Jahren des 17. Jahrhunderts gespielt. Dieses dänische Mädchen, das Königin wurde, war zuerst jung gewesen, dann gealtert, und schließlich war es ihr gelungen, ihren Gatten, den dänischen König Christian den

Vierten, zu vernichten. Er war da von der Liebe gefangen gewesen. Es war ein verabscheuenswerter Roman, der eine richtige Frage gestellt hatte, aber an der Antwort gescheitert war.

Am Ende dieses Romans fand sich der Satz *Wer kann die Liebe erklären? Doch wer wären wir, wenn wir es nicht versuchten?* Sie schreibt, daß sie diese Feststellung komisch gefunden habe, aber beruhigend.

Ich verstehe sie nicht.

Gerade jetzt mag ich sie nicht, ihre Arroganz und Härte. Es ist wie ein Kloß im Hals.

Wir fangen bald an, wiederholt sie ständig, wie eine Hoffnung. Warum nicht? Diese Hoffnung ist das einzige, was uns am Leben hält. Ich finde eine Notiz auf einem Zettel, ich muß sie einmal geschrieben und dann vergessen haben: *Das Fragebuch ist wie Drogen.*

Zauberei. Amor Omnia Vincit. Wie konnte sie?

7.

Wache oft in der Nacht auf und kann mich nicht davon freimachen. Das ist vielleicht ihre Absicht.

Blanche faßt mich an der Hand und führt mich abwärts. Zuerst kühl und unschuldsvoll, bis ich ruhig bin. Dann wird es schlimmer.

So wollte sie wohl auch Marie helfen. Langsam, an der Hand halten, eine Begleiterin, hinab zum Mittelpunkt der Erde, hin zur letzten Expedition, dann hinaus aus dem Dschungel, ans Ufer des Flusses, und zur Nacht in Morvan.

Die theatralischen Inszenierungen vor Publikum wurden für Professor Charcot nach und nach immer quälender.

Er schien Blanche auszuliefern, wurde aber selbst ausgeliefert. Das wissenschaftliche Schema mit den Druckpunkten, die mit einem Stift auf dem Körper der Frau angezeichnet wurden, die Anfälle, Zuckungen, Melancholie, Lähmungen oder Liebe hervorrufen sollten, war am Ende so vollendet, und die von gehorsamen Patientinnen gestalteten Resultate waren so gelungen, daß er fand, daß er sehr einsam war.

Da war es zu spät. Er war in ihrer Macht. Auf diese Weise erinnerte sie an die junge dänische Königin, deren Namen sie indessen vergessen hatte. Sechs Jahre lang war Blanche der große theatralische Star in der Salpêtrière, der auf seine Weise das wissenschaftliche Vergnügungsleben von Paris dominierte, auf die gleiche Weise wie die verstoßene Jane Avril Moulin Rouge dominierte.

Jane tanzte und wurde abgebildet. Der Tanz, den sie in der Salpêtrière erfunden und geschaffen hatte, der Tanz, von dem alle verhext waren, obwohl man nicht begriff, warum, hieß ›Der Tanz der Irren‹.

Man muß sich zum Irren machen, hatte Charcot zu ihr gesagt.

Jane wurde oft gesehen, aber nie abgebildet, bevor sie die Salpêtrière verließ und weltberühmt wurde. Es gibt andrerseits nur ein künstlerisches Gemälde, das Blanche darstellt. Sie wird darauf als ohnmächtig abgebildet.

Blanche tötete ihren Geliebten, Professor Charcot, im August 1893. Einige Jahre später verließ sie das Krankenhaus und nahm eine Anstellung bei der polnischen Physikerin Marie Słodowska Curie an und erhielt als erstes die Aufgabe, mit Pechblende zu arbeiten. Daß dieses Mineral Radium ausstrahlte, war unbekannt, sie wurde zu Amputationen gezwungen, am Ende war sie ein Torso.

Im Zeitraum zwischen ihrer ersten Amputation und ihrem Tod schreibt sie das Fragebuch. Es ist das Buch von Blanche und Marie.

Marie Curie liebte sie, auch nachdem sie in einen Torso verwandelt worden war.

Marie hatte auch einen Geliebten; er ließ sie im Stich, was ihren zweiten Nobelpreis, den in Chemie, gefährdete. In ihren Aufzeichnungen, die sie ›Das Fragebuch‹ nannte, schreibt Blanche, daß sie auf dem Höhepunkt von Maries schwerster Krise – nach der Rückkehr aus England und am selben Tag, an dem sie die Nachricht erhielt, daß ihr Geliebter aufgegeben und eine andere gefunden hatte – zum ersten Mal von ihrer endgültigen Abrechnung mit Professor Charcot erzählte.

Es war das erste Mal, daß sie es jemandem erzählte. Sie schreibt, sie habe es getan, um Maries Naivität zu verringern, um sie *dazu zu bringen, sich auf ihre Füße zu stellen und zu gehen.*

Der Ausdruck nimmt sich eigentümlich aus bei einer Beinlosen, aber er kehrt mehrfach wieder.

Sie schreibt: *Ich erklärte Marie, als sie in Tränen aufgelöst an meinem Bett saß und mich mit ihrer rechten Hand streichelte, die verkümmert war, fast zerfressen von der harten Arbeit, die sie mit dem Radium durchgeführt hatte, ich erklärte ihr, daß ich ihn wegen seiner Treue getötet hätte, und seiner Kindlichkeit, und weil er sich nicht auf seine Füße stellen und gehen wollte, was das Zeichen der Liebe ist. Keinen, dem ich begegnet bin, habe ich geliebt wie ihn, keinen einzigen, ich liebte ihn mehr als mein eigenes Leben und zwang mich deshalb dazu, ihn von mir fernzuhalten. Wie groß ist doch die Liebe, und wie schwer einzufangen, wie ein Schmetterling, der vom Himmel geflohen ist. Doch wie finden wir, in dieser Zeit schwerer Umwälzungen, die das Kennzeichen dieses neuen Jahrhunderts sind, einen Zusammenhang, wenn nicht in der Liebe.*

Das ist die ganze Geschichte in kurzer, wahrheitsloser Zusammenfassung.

8.

Man muß sie sich als ein Kind vorstellen, das sich rechtfertigt.

Sie schreibt kurze Sätze in zuweilen stilisiertem Ton, in denen die Worte häufig einen Gegensatz zueinander bilden. Weil es ihr nicht gelingt, die Dinge in einen Zusammenhang zu bringen, träumt sie von Zusammenhängen, die sie ›Radium‹ oder ›Liebe‹ nennt, oder ›das neue Jahrhundert‹. Ich glaube, sie war eine kleine, liebe, ganz und gar nicht verhärtete Frau, die zu spät wußte, was sie tun sollte.

Ich habe nie eine Frau wie Blanche getroffen, aber einige, die auf dem Weg waren, zu werden wie sie. Sie haben sich an einer verbotenen Grenze befunden und sind abgeschreckt worden, oder hinübergegangen, haben aber nie an ihr haltgemacht.

Als ich ein Kind war, wie ein Kind sprach und kindliche Gedanken hatte – ich gebe es zu, es ist ihr Ausdruck –, war das Evangelium eine Liebesbotschaft, und alle Liebe war teils geboten, teils verboten. Das schuf die Verlockung, die explosiv war und daher tödlich. Die Liebe und der Tod waren verknüpft, wir konnten uns nicht befreien. Alle sprachen von der Liebe, doch niemand erklärte sie. Sie war auch die größte Sünde.

Da darf man nicht aufgeben.

Hat man nicht aufgegeben, dann ist alles erklärbar, auch der Schmerz, wenn man schließlich aufsteht und geht. *Die Liebe kann man nicht erklären, aber wer wären wir, wenn wir es nicht versuchten?* Diese manischen Wiederholungen! Aber was sollte sie schreiben, während sie da in ihrer Holzkiste lag und die Kälte immer höher zum Herzen kroch und alles verfaulte.

Fast genau dieselbe Formulierung kehrt an fünf Stellen in Blanches Fragebuch wieder. Ich las die Worte, und für einen Augenblick stand die Welt still und das Herz schlug und schlug.

Eigentlich versuchte sie wahrscheinlich nur, eine Geschichte zu erzählen.

Wir müssen uns wohl damit begnügen, etwas Feineres gibt es ja nicht, wenn es denn eine Geschichte ist und nicht nur eine Ausflucht. Ich denke mir, daß sie etwas viel Einfacheres war als das, was sie zu sein vorgibt.

Bestimmt hatte sie nicht die Absicht zu töten! Eigentlich war sie wohl ein ziemlich einfaches und feines Mädchen vom Lande, dem es übel erging. Ich habe einmal eins gekannt.

Bevor ich aufgab und zu verstehen begann, gefiel es mir nicht, daß sie nicht von uns zu Hause stammte. Also Ausländerin war, und französisch sprach, aber so war es nun mal.

Was kann ich da tun? Es gibt wohl überall ein kleines Frankreich. Oder ein kleines Paris, oder ein kleines Polen. Man darf sich nichts daraus machen. Ich verstehe nicht, warum ich mich entschuldige, aber ich habe wohl Angst. Kein Fehler, Angst zu haben. Es gibt immer irgendwo einen Wohltäter, auf den man bauen kann, und für Blanche gab es vielleicht auch Rettung und Vergebung.

Jetzt geht es besser. Zuerst war es schwer, sie zu rekonstruieren, jetzt geht es besser, obwohl es weh tut. Zuerst war es ein Klumpen irgendwo tief drinnen, jetzt fängt er an, sich aufzulösen. Ich glaube, daß sie, wenn sie es gewagt hätte, aufrichtig zu sein, gar nicht so hart gewirkt hätte. Schonungslos ist man wohl nur, wenn man glaubt, daß man selbst nicht geschont wird.

Als ich ein Kind war, wie ein Kind sprach und kindliche Gedanken hatte, also als ich zehn Jahre alt war, während des Zweiten Weltkriegs, träumte ich davon, einmal ein blondes, sehr schönes und sehr liebenswertes Mädchen zu lieben, das gelähmt war, im Rollstuhl saß und Geige spielte. Ich weiß nicht, woher ich das hatte. Ich hatte nicht einmal den Film gesehen. Ich nehme an, daß ich Blanche zuerst ungefähr so sah, als ein schüchternes schönes blondes Mädchen, das Geige spielte und von mir abhängig war, um sich bewegen zu können. Es war eigentlich ganz natürlich. Es war ja Blanche. Ich erkannte sie. Sie war am Ende zurückgekehrt. Man mußte rekonstruieren, was sie mitgemacht hatte, denn selbst schwieg sie nur. Doch kein Zweifel, daß sie es war. Es war das mit dem Torso, und dann der fast vergessene Traum von dem Mädchen mit Geige im Rollstuhl.

Jetzt fühlt es sich bald viel besser an. Der Klumpen ist fort. Alle Märchen, die man gelesen hat! Das vom Mädchen mit den roten Schuhen! Oder das von der kleinen Meerjungfrau! Es handelte immer von einem unerhörten Schmerz, wenn sie sich auf ihre Füße stellten und gingen. Wie Messer durch die Füße.

Bald ist es wieder gut. Blanche hieß das Mädchen. Amor Omnia Vincit.

II

Der Gesang vom Kaninchen

1.

Im Fragebuch nennt Blanche sie das Kaninchen. Es könnte sich um eine verächtliche Andeutung von sexueller Leichtfertigkeit handeln.

Vielleicht ist das Kaninchen unwichtig.

Doch wenn sie für Blanche wichtig ist, dann ist sie wichtig.

Geht man die Personengalerie des Fragebuchs durch, gibt es von Anfang an nur drei Frauen. Es sind Blanche, Marie und das Kaninchen. Dann kommt Hertha Ayrton, doch das ist am Schluß. Und Blanche ist ihr nie begegnet.

Das Kaninchen?

Ich dachte mir zuerst, daß sie alle Angst hatten, und ein bißchen kindlich waren, Angst hatten, die Liebe nicht zu ertragen. Aber das war wohl falsch. Nicht Angst, sondern Unschuld mitten im Dreck, eben das, was dazu führt, daß Menschen sich am Ende auf ihre Füße stellen und gehen.

Manchmal, im Fragebuch, kann es plötzlich so wirken, als ob Blanche innehielte, es stockt, man kann sich vorstellen, daß sie aufblickt von ihrem hölzernen Karren und durchs Fenster hinaussieht, zu den Bäumen und dem Laub, als gäbe es dahinter ein Flußufer, oder daß sie vielleicht auf die Wolldecke um den Beinstumpf hinabblickt, mit gefurchter Stirn, mit diesem unschuldsvollen Erstaunen im noch kindlich schönen Gesicht, und daß sie dann jedesmal schreibt *Ich fange bald an*.

Man gewöhnt sich daran, ich mag es schließlich. Sie will ja, daß wir verstehen, ist aber ein bißchen ängstlich, begreift nicht, warum wir nicht verstehen können! warum diese Langsamkeit! Dann dieses Unschuldsvolle und Schüchterne; eine Frage, ob sie weitermachen darf, ungefähr so.

Es ist wohl deshalb. Das schreibt man nur, wenn man sich nicht richtig traut, oder in Verzweiflung über die Grenze gegangen ist.

Von sechstausend eingeschlossenen Frauen in der Salpêtrière weiß niemand etwas Sicheres, aber sie waren ja da, um sie herum. *Ich fange bald an:* das ist dieser Unterton von kindlichem Schrecken, froh und ein bißchen verzweifelt, ich erkenne ihn wieder.

Es ist nicht schwer zu verstehen, daß Blanches Hände und Arme von der Strahlung angegriffen wurden.

Aber der Fuß? Und später das Bein?

Es war vielleicht etwas anderes. So vieles bei Blanche wird durch den Ausdruck abgedeckt: *es war auch etwas anderes.*

Zuerst also Blanche. Danach Jane Avril, die eigentlich Jeanne Louise Beaudon hieß.

Sie spielt in der Geschichte von Blanche, Marie und Professor Charcot eine sehr begrenzte Rolle, aber eines Nachmittags im Juni (im Fragebuch ist keine Jahreszahl angegeben; man kann jedoch vermuten, daß es 1906 war) erscheint sie unangemeldet bei Blanche zu Besuch. Es ist der erste von zwei Besuchen.

Der zweite findet einen Monat vor Blanches Tod statt. Marie, Blanche und Jane, diese drei, sitzen da auf der Terrasse. Die Bäume. Das Laub.

Es ist die schönere Begegnung, ganz anders als die erste, es ist der eigentliche Ausgangspunkt, oder der Punkt, von dem aus es möglich ist, die Geschichte zu erzählen.

Man hofft ja immer, daß es einen solchen Punkt gibt, im Leben jedes Menschen. Das ist wohl der Grund, warum wir weitermachen.

Die erste Begegnung findet in der Mitte der Amputationskette statt – Blanche ist um einen Arm und einen Fuß reduziert, kann aber leidlich mit Krücken gehen – und Jane ist unberührt und freundlich. **Was verursacht Janes Besuch, und wer hatte ihr von meiner Lage erzählt?**, lautet die Überschrift im Fragebuch.

Sie hatte ein frisch gebackenes Brot mitgebracht, in das, wie sie versicherte, Rosinen und abessinische Nüsse (?) eingebacken waren und das mit Rosmarin gewürzt war, und sagte, sie wolle dieses Brot mit Blanche teilen, als eine Geste der Freundschaft, bei einem Glas Wein, und alte Erinnerungen austauschen.

Sie hatte sich im Zimmer umgesehen, als hätte sie erst jetzt bemerkt, wo sie sich befand. Sie hatte einige von Maries Arbeitsgeräten entdeckt, ein paar Glasretorten und Kolben, war an einen Arbeitstisch getreten, hatte sich über Aufzeichnungen mit chemischen Formeln gebeugt und trocken festgestellt, daß *man hierfür also den Nobelpreis bekommt.*

»Du hast feine Freunde«, hatte sie gesagt. »Hast es weit gebracht.«

Weit gebracht? Blanche liegt nicht in ihrer hölzernen Kiste, sie ist schon angefertigt, steht neben dem Bett, aber trotzdem!

Janes Kleidung ist *extravagant.*

Das ist das Wort, das Blanche benutzt. Ihr Alter ist das, was man bei gequälten, geschminkten, aber geduldigen Kindern wiederfindet. Blanche schreibt, daß sie nicht versteht, was die ungewöhnliche Geste mit dem Brot bedeutet. Sie beginnt deshalb nahezu in Panik, *mit einer für mich ungewöhnlichen Nervosität,* von Janes großen Erfolgen im Moulin Rouge zu sprechen, und dem Ruhm, der ihr durch die Illustrationen des Malers Toulouse-Lautrec zuteil geworden ist, auf denen Jane ja eine bezaubernde und dominierende Rolle spielt; aber da unterbricht Jane sie brüsk und freundlich und sagt, fast feierlich:

»Blanche, wie geht es?«

»Das siehst du doch.«

»Das hat man nie sehen können«, hatte Jane nach einem Augenblick des Schweigens geantwortet. »Du hattest immer eine erschreckende Stärke, ich hatte immer Angst vor dir. Du warst so unfaßbar stark, alle hatten Angst vor dir, weißt du das? Charcot tat mir leid, er hatte solche Angst vor dir.«

»Hör jetzt auf«, hatte Blanche da geflüstert.

Jane hatte sich auf einen Stuhl gesetzt, geschwiegen. Es war eine Weile vergangen.

Dann hatte sie beinah flüsternd angefangen zu sprechen.

Sie wollte von der Salpêtrière sprechen, die nicht nur die Hölle war, es war etwas anderes, sehr Kostbares. Sie verwendet den Ausdruck kostbar. Das Kostbare war etwas, was sie verloren hatte, eine Erinnerung, die sie zurückzurufen versucht hatte, *auch in der tiefsten Verzweiflung kann es einen Augenblick geben, in dem alles möglich ist, ungefähr so, in dem man frei ist und noch einmal von vorn anfangen kann,* ihre Stimme verschwand zuweilen fast.

»Ich habe vergessen. Ich kann nicht mehr. Blanche, Liebe, ich bitte dich, *das einzige, worum ich dich bitte, ist, eine Erinnerung zurückzubekommen.*«

Blanche fragt da, verwundert angesichts der sprachlichen Form des Ausdrucks:

»Eine Erinnerung?«

»Wie es war.«

»Sie dir zurückgeben?«

»Ja«, hatte Jane da geflüstert, dem Fragebuch zufolge mit der gleichen beharrlichen weichen Verzweiflung. »Sie ist verloren.«

»Welches ist denn diese Erinnerung«, hatte Blanche gefragt und das Stück Brot, das sie bekommen hatte, weggelegt, *mit einer Geste, als sei es vergiftet, von der ich hoffte, daß Jane sie bemerkte.*

»Wie ich tanzte, und glaubte, man könnte noch einmal von vorn anfangen.«

»Hast du es vergessen?«

»Warum sollte ich dich sonst bitten«, hatte Jane geantwortet.

Daraufhin war ein langes Schweigen eingetreten, Blanche schreibt, daß sie sich jetzt ruhiger fühlt, nicht mehr überrumpelt, sie hatte die Decke fester um ihren amputierten Körper zusammengezogen, jetzt war es Zeit, zum Gegenangriff gegen den frechen Eindringling anzusetzen.

»Nein, ich erinnere mich nicht«, hatte Blanche gesagt, »und wenn du dich nicht erinnerst, du kleine Hündin, wie sollte ich mich dann erinnern?«

Der Ausdruck ›du kleine Hündin‹ kommt sehr überraschend.

»La danse des Fous!!!« hatte Jane Avril da gesagt und so getan, als habe sie die grobe Kränkung nicht gehört und als habe ihr eigener Ausbruch nicht stattgefunden oder zähle nicht, *»ich habe es vergessen, aber du erinnerst dich sicher, ›Der Tanz der Irren‹ in der Salpêtrière, der Schmetterling!«*

Hier endet diese Passage im Fragebuch.

Wenn das Gespräch tatsächlich richtig wiedergegeben ist, ist es eigentümlich. So drückt man sich ja nicht aus, *feierlich wie ein Korsett,* wie sie an einer anderen Stelle schreibt. Und dieser plötzliche Haß. Das paßt nicht. Und sie sollten sich ja später noch einmal begegnen, kurz vor Blanches Tod, gemeinsam mit Marie Curie.

Da nur Stille, Trauer, und Wärme.

Aber hier nichts mehr von dem Brot, von der Erinnerung an einen jetzt verlorenen Augenblick, vom ›Tanz der Irren‹, von der Durchbruchsvorstellung, die Blanche erlebt haben mußte, die jetzt nur noch eine *verlorene Erinnerung* war, als wäre es möglich, die Erinnerung zu amputieren, eine Phantomerinnerung, ohne Schmerzen, Blanches amputierten Gliedern gleich, aber eine Erinnerung, die dennoch wiedergefunden werden konnte, wie ein Gegenstand aus der Geschichte: und daß dann am Ende doch nichts verloren war, und ohne Bedeutung und Sinn.

2.

Jane Avril war ja der Künstlername.

Sie wurde am 9. Juni 1868 unter dem Namen Jeanne Louise Beaudon in einem Dorf namens Belleville geboren, eigentlich einem Vorort von Paris; ihre Mutter war Hure. Belleville liegt auf einem so hohen und steilen Plateau, daß kaum die Rede davon sein konnte, daß es mit Paris verbunden war: man baute später eine Seilbahn vom Plateau herab, um die Verbindung mit *dieser Stadt aus Licht und Freude* zu verbessern. Die Laufbahn ihrer Mutter als Hure erstreckte sich von ihrem vierzehnten bis zu ihrem einunddreißigsten Lebensjahr, dann wurde sie zu fett und lebte davon, den Kaffeesatz zu lesen. Die Mutter nannte sich Modistin. ›Meine Mutter war eine sehr schöne, brillante und gefeierte Pariserin im zweiten Kaiserreich‹, schreibt Jane in ihren in den dreißiger Jahren erschienenen Memoiren, und deutet an, daß ihr Vater ein italienischer Graf war, was man ja immer behaupten kann, es ist in den meisten Fällen wahrscheinlich, *mein Vater war ein italienischer Graf,* aber er kann, noch wahrscheinlicher, ein örtlicher Bauer mit Namen Fant gewesen sein. Die Mutter gibt sich deshalb den Arbeitsnamen ›Elise, Gräfin von Font‹ und überläßt die Pflege des Kindes ihren Eltern; es ist während der Belagerung von Paris 1870, im gleichen Jahr, in dem Charcot seine Familie und seine Kinder nach London schickt. Ich komme darauf zurück.

Jane wird von einer Gruppe preußischer Soldaten als Maskottchen aufgenommen und lernt, als ersten deutschen Satz ihres Lebens, ›Alle Preußen sind Schweine‹ zu sagen, was große Heiterkeit auslöst.

Dann und wann nimmt die Mutter sie wieder zu sich, und mißhandelt sie, dazwischen Ruheperioden bei ihren Großeltern, dort ist es ein munteres Leben. Ein ehemaliger Liebhaber der Mutter erbarmt sich jedoch Janes, und sie setzt Fleisch an, was er sowohl geistig wie körperlich zu schätzen weiß.

Jane ist tüchtig, kann ›putzen, Feuer machen und kochen‹. Sie ist eine richtig wilde Göre, das ist die allgemeine Meinung, wenn auch schüchtern. ›Vergiß nie, daß du die Tochter eines italienischen Grafen bist‹, ermahnt die Mutter sie ständig.

Jane glaubt in ihrer frühen Jugend an Gott und will die Mutter vor der ewigen Verdammnis retten, dann gibt sie auf, auch die Versuche, ihre Mutter zu retten.

Janes frühe Biographie ist ermüdend.

Als Sechzehnjährige bettelt sie in entlegenen Stadtteilen auf den Marktplätzen. Über ihrer Jugend liegt eine gewisse zeittypische Sentimentalität, erst später wird sie berühmt und mit Eigenschaften gefüllt, dann vor allem durch die Bilder des Malers Toulouse-Lautrec.

Sie müht sich charakterlos durch ihre jungen Jahre hindurch.

Plötzlich bekommt sie Krämpfe, mit unkontrollierten Bewegungen. Beim ersten Mal glaubt man, daß die Krämpfe mit ihrem Schuldgefühl zusammenhängen; sie hatte unrechtmäßig gezögert, einen der Wohltäter ihrer Mutter, der plötzlich von Rückenschmerzen befallen worden war, zu massieren, und ihr verbissener, aber gleichzeitig kindlicher Trotz hatte den Zorn der Mutter hervorgerufen. Diese hatte sie daraufhin gezüchtigt. Als der Freund der Mutter erneut auf Hilfe in seiner fast krankheitsähnlichen Situation bestanden hatte und das Mädchen sich trotz der Zurechtweisung weigerte, jedoch ohne Tränen, nur mit krampfhaft verkniffenem Gesicht, da hatte sich der Trotzzustand bei dem Mädchen auf eine medizinisch unklare Weise bis in ihre Glieder ausgebreitet, und ein tanzähnlicher Zustand war eingetreten, der die Anwesenden zugleich verblüffte und erschreckte, also die kranke Mutter und ihren Wohltäter. Ihre Krankheit wird als Tanzkrankheit bezeichnet, oder Veitstanz.

So unschuldig und gleichzeitig rätselhaft hatte es angefangen.

Einer ihrer älteren Liebhaber und Beschützer, ein Doktor Magnan, der Psychiater war und die junge Jane vorwiegend während ihrer magereren und kindlicheren Perioden schätzen gelernt hatte, sorgt daraufhin dafür, daß sie am 28. Dezember 1882 in der Salpêtrière aufgenommen wird, in der dritten Sektion der zweiten Abteilung, wo sie von Professor Charcot betreut wird.

3.

Wie sollte sie sich nicht an diese Stadt in der Stadt erinnern, die den Namen Salpêtrière trug.

Und sie liegt dort noch heute.

Jane hatte sich – nicht als sie gläubig war und noch versuchte, ihre hurende Mutter vor der Hölle zu retten, nein, etwas später, als sie aufgegeben hatte – den Himmel immer wie eine Burg vorgestellt, mit Schutzmauern gegen die Welt. Dort hinauf würde sie eines Tages geholt werden, befreit von ihrer kleinen Hurenmama und ihren Wohltätern unter deren Kunden, die nach und nach sie und ihr kindlicheres Wesen dem fetten und schlaffen der Mutter vorzogen. Oder vielleicht hatte sie sich den Himmel als einen Ort auf der Erde vorgestellt! Wie einer der Wohltäter ihr einmal erzählt hatte. Einen Aufklärer hatte er sich genannt! Er hatte erzählt, daß dieser Himmel auf der Erde sei, nicht anderswo; und sie hatte da auf ihre kindliche Weise weitergedichtet und sich gedacht, daß der ›Himmel‹ darin bestand, daß diese Wohltäter aus der Nähe ihrer Mutter herabgestürzt würden, daß diese ihre Mutter dann verwandelt und weich werden würde, mild und langsam in ihren Bewegungen, nicht schnell und hart auf die mißgelaunte Weise, die weh tat und schmerzende Beulen auf dem Körper des jungen Mädchens hinterließ, daß eine engelsgleiche Verwandlung der Mutter in diesem weltlichen Himmel geschehen würde.

So mußte der Himmel der Aufklärung aussehen, stellte sie sich vor, doch das, worin Jane jetzt eintrat, war nur die himmlische Burg namens Salpêtrière.

Die Salpêtrière war wirklich eine Burg in Paris, ein Schloß! und dort waren die Frauen versammelt, die von der Liebe verwirrt worden waren. Es waren die sittlich Verfallenen, und die Gealterten, und die, die bald die Liebe aufsuchen sollten, doch in Erwartung derselben zusammengebrochen waren. Dies hatten sie gemeinsam: Die Liebe hatte für sie alle eine Rolle gespielt, und sie waren enttäuscht worden.

Das Krankenhaus hatte 4500 Betten, doch nicht allen, die hier eingeschlossen waren, konnte ein Bett angeboten werden. Das Schloß war weit über diese Zahl hinaus bevölkert; es war in erster Linie ein ›*Zufluchtsort des Alters*‹, aber es war auch ein Restelager. Hierher wurden die *übriggebliebenen* Frauen gebracht, die keine Wohltäter und Schutzengel mehr hatten; aber nicht die Bejahrten, die Senilen und Schwachsinnigen waren die führenden Klienten in diesem schwarzen Schloß mitten in Paris. Die Greisinnen (es waren nur Frauen, weil Männern zu dieser Zeit der Zutritt verwehrt war) waren zwar in der Majorität, aber es waren nicht sie, die das pulsierende und rätselhafte Herz des Schlosses bildeten. Nein, es waren, schreibt Jane später in ihren Erinnerungen, es waren *die zurückgebliebenen Epileptikerinnen und Hysterikerinnen, die in dieser Hölle der Traurigkeit die Oberklasse bildeten, die die Berühmtheiten waren. Sie waren die obere, beneidete Schicht in dieser tragischen und komischen Sammlung von sechstausend grauen Schatten, die sich murmelnd, schreiend oder weinend, mit langsamen Bewegungen, wie Kröten durch die verschmutzten Gänge und Räume bewegten, zwischen diesen meterdicken Mauern, oder in hilflosen Gruppen draußen auf den engen offenen Plätzen* – die Worte in Jane Avrils sonst durch und durch glasierter Selbstbiographie gewinnen plötzlich fast expressiv malende Kraft.

Hundert Jahre her.

Dorthin wurden sie gebracht, Blanche und Jane und die anderen *sechstausend blutgefüllten Schatten*, die noch glaubten, Menschen zu sein.

Die Armee der Schatten ist fort, doch das Schloß liegt noch da, mit seinen Mauern und Gewölben und seiner Bibliothek mit dem berühmten Gemälde, das Charcot und Blanche während der Séance darstellt. Das Bild! das berühmte! wie ist es nicht interpretiert worden! das Altarbild der verdrängten Erotik! der heilige Gral der pietistischen Erotik! das Sinnbild der weiblichen Hilflosigkeit in der Leidenschaft! die Verlassenheit!

Oder nur ein Bild, das verlockend und kühl die Erinnerung aufzeichnet an eine verunglückte Expedition in den Kontinent der Frau und der Liebe.

Es liegt noch da.

Das Schloß in Paris, jetzt geleert von dem, was Jane Avril sah, als sie in das von menschlichen Ratten bevölkerte Labyrinth geführt wurde. Das Bild vom *Schloß der verrückten Frauen* kehrt in allen Beschreibungen wieder, es ist verlockend und abstoßend und hat keine Verbindung mit uns selbst, sagen wir: wie ein schwarzer Traum unmittelbar vor einem helleren Erwachen, das *das verlockende Bild von Blanche in Ohnmacht* ist.

Und Professor Charcot fast in ihren Armen, oder sie in seinen.

Dorthin kam Jane Avril, nach abgeschlossener Ausbildung unter der Leitung ihrer Mutter, nach einer spannenden und ungewöhnlichen Jugend, immer noch eine Frau ohne Eigenschaften, noch nicht weltberühmt als tanzendes Modell.

Warum wurde sie das Kaninchen genannt?

Nein, nicht deshalb wurde sie das Kaninchen genannt.

Es könnte sonst auch als Bild für die Sexualität des Pietismus benutzt werden, die Jane Avril fernlag, aber Charcot vielleicht näher, wenn ich ihn recht kenne, und warum sollte ich ihn nicht kennen, wenn Blanche glaubte, ihn zu kennen.

Welches Recht hat sie!

Welches Recht hat gerade sie, sich über die verdrängte Sexualität des Pietismus zu äußern. Keins! Keins! Als der Weltkrieg, der zweite, in die kleinen Dörfer im Küstenland von Västerbotten kam, wurden alle aufgefordert, Kaninchen anzuschaffen. Sie sollten als Proviantreserve dienen, wenn der Krieg wirklich kam. Sie wimmelten in ihren kleinen Käfigen herum, und die Kinder, mit all den heimlichen und schmutzigen Instinkten eines Kindes, alle diese im Grunde sündigen und frommen Kinder sahen sie kopulieren, ständig! Ständig!

Und weil Sexualität das Verbotenste war, entdeckten die Überwacher und Wohltäter später, allzu spät! mit Entsetzen, wie die Kinder – wie ich selbst Produkte der Fixierung des Pietismus auf die verbotene Leidenschaft, und auf die Frau, die die innerste Triebkraft der Sünde war und diejenige, die die Versuchungen schuf, die bedrohliche Endstation der Sünde –, wie alle diese unschuldigen Kinder in kleinen Haufen auf Wiesen oder im Wald oder im Schnee lagen und voll bekleidet die täglichen konvulsivischen Bewegungen der Kaninchen vollführten, wenn diese kopulierten, in wimmelnden, wogenden Haufen.

Als wäre die Sexualität unter der Eisdecke der Frömmigkeit hochgekocht und unwiderstehlich gewesen.

Das Dorf war für diese Kinder eine Art liederlicher Vorhof der Hölle geworden, unschuldsvoll gestaltet von diesen rammelnden, sich reibenden Kindern außerhalb der Reichweite der christlichen Liebesbotschaft, die auch das Gesetz war, daß die Sexualität das Verbotenste war, und deshalb die verlockende Grenze, der sich die rammelnden kleinen Kinder unter dem Deckmantel der Kaninchenspiele nähern wollten.

Jane wurde im Alter von elf Jahren in die Prostitution gezwungen. Blanche war nie Prostituierte. Zuerst liebte sie Jane, dann fürchtete sie sie; als sie sie wiedersah, war es zu spät.

Aber diese amputierten Leidenschaften! Welche Kraft!

Es gibt ja keinen Grund, das zwanzigste Jahrhundert zu entschuldigen. Wie bittet man um Entschuldigung für ein Jahrhundert, das seine Wurzeln nicht wählen konnte?

Lächerlich.

Aber nicht einmal kleine Dörfer im Küstenland von Västerbotten weichen ab. Wir waren ja im Grunde alle Herrnhuter. Lächerlich, sich für die Wurzeln der Sexualität zu entschuldigen, oder zu schämen. Wenn die Herrnhuter in Böhmen – noch in der Mitte des 18. Jahrhunderts – heiraten wollten, wurde das Paar in das blaue Zimmer geführt, und der erste Beischlaf mußte dort unter der Aufsicht eines Gemeindeältesten vollzogen werden. Der Akt war dabei ritualisiert, wie ein Gottesdienst: der Bräutigam sollte mit ausgestreckten Beinen auf dem Boden sitzen, und die Frau sollte mit gespreizten Beinen über ihm sitzen.

So sollte die Entjungferung vollzogen werden, in Anwesenheit eines Gemeindeältesten auf einem Stuhl an der Wand.

Welches ist die stärkste Triebkraft des Glaubens, wenn nicht die Lust!

4.

Das Schloß liegt noch da.

War es wirklich ein Schloß der Leidenschaften? Eine Salpetersiederei mit auch heute noch mystischer Ausstrahlung? Ein magisches Schloß, das einmal das Laboratorium war, in dem ein Geheimnis erforscht werden sollte, das wichtiger war als Radium – war es von Ratten bevölkert, wirklich? Ein Schloß?

Nein, kaum.

Ganz am Ende der Reihe von Gewölbegängen eine Öffnung auf den Platz, den Sainte-Claire-Platz, der sich inmitten des Verfalls und begleitet von den schlurfenden und schleppenden Geräuschen der menschlichen Ratten auftat. Überquerte man diesen, gelangte man, wenn man auch über die zufällig offene Rue de la Cuisine gegangen war, zum Viertel der Nervenkranken, der Epileptischen und Hysterischen, wo der berühmte Professor Charcot über diese liederlichen und bedrohlichen Frauen herrschte. Die herausgehobensten unter diesen, die, deren Experimente das größte Interesse auf sich zogen, waren die Frauen, die Hysterikerinnen genannt wurden, die beharrlich daran arbeiteten, ›Sterne unter den Ratten‹ zu werden, und von denen es hieß, sie nähmen jede Gelegenheit wahr, bei Professor Charcots Vorführungen und Behandlungen durch extravagante Verrenkungen, ›Regenbogen‹, verschiedene akrobatische Übungen und gutturale Schreie der Verzweiflung, Freude oder Erleichterung Aufmerksamkeit auf sich zu ziehen. Es waren diese theatralischen Darbietungen, die den zuvor verborgenen Weg in die erschreckende und abschreckende Welt der Weiblichkeit und der Liebe weisen sollten.

Wie wir Kinder in unserem kleinen Dorf, denke ich zuweilen.

Wurden wir jemals erwachsen?

Jane, die da noch Jeanne Louise Beaudon hieß, trat ohne Furcht in dieses Schloß der Frauen ein, erinnerte sich des Lebens, das sie geführt hatte, und beschloß mit Freude, die Erinnerung daran zu amputieren.

Sie fand, daß diese himmlische Zuflucht zwar einer Hölle glich, aber daß diese Hölle doch erträglich und lustig war. Diese Frauen wurden ausgenutzt, doch sie fügten sich nicht ganz. Ihre Mitpatientinnen redeten beruhigend auf sie ein. Sie hegten, schreibt sie, kein Mißtrauen gegen ›meine kleine, schmale und dünne Gestalt‹; und sie wurde in die Regeln und Fluchtwege des Krankenhausdaseins eingewiesen.

Die Pfleger waren eifrig bemüht, zu Diensten zu sein, und wurden von den Patientinnen begehrt. Die Ärzte waren jung, sie führten ihre Untersuchungen mit wissenschaftlicher Sorgfalt durch, und wenn die begnadetsten Frauen schwanger wurden, wurden sie gezwungen, tief trauernd, das Krankenhaus zu verlassen, um zu entbinden; doch sie kehrten stets zurück, *verirrten Lämmern gleich, die am Ende in den Schutz des Mutterschafes zurückkehrten.*

Im Fragebuch nichts von dieser blumigen Sprache. Vereinzelte Fragen, was Jane Avril betrifft, und einmal eine sehr rätselhafte Antwort. Die Frage: **Was konnte er an Jane sehen?** Und die Antwort: *Die Tiere liebte er wie sich selbst, und es gab Stunden, in denen ich Neid empfinden konnte, beinah Haß, auf diese hilflosen Wesen, die so viel von seiner Liebe verschlangen.*

Das ist alles. Die ganze Antwort.

Liebe kann entstehen, wenn jemand sein Dunkel mit dem anderen teilt. Aber entsteht dabei auch Haß?

5.

Blanche Wittman war die natürliche Autorität, an die Jane sich wandte, als sie die Idee mit der großen Tanzvorstellung zu Ehren der Irren hatte.

Blanche hatte ja Einfluß. Sie war die Königin unter den Hysterikerinnen! Es ging das Gerücht, daß Professor Charcot sie liebte, und daß ihre Macht groß war, doch daß sie Professor Charcot keinen Zutritt zu ihren *innersten Gärten* gewährte.

Die von Charcot besonders Favorisierten, die mehr oder weniger regelmäßig bei den medizinischen Experimenten mitwirkten und Hauptobjekte der wissenschaftlichen und öffentlichen Analysen waren, waren in dem großen Saal Duchesse de Boulogne untergebracht, im Erdgeschoß.

Die unbedeutenderen oder verbrauchten Hysterikerinnen waren im Obergeschoß einquartiert. Sie gehörten zu den weniger ästhetischen, deren Anfälle selten auf wissenschaftliche Weise dargeboten wurden, und die schon so lange in der Salpêtrière lebten, daß sie langsam den Verstand verloren hatten und in Apathie versunken waren.

Jane war noch ein Kind, aber mit dem Charme einer Vierzehnjährigen, sie besaß zugleich die Brutalität und die Neugier eines Kindes und liebte es, die Patientinnen, die sie komisch oder widerlich fand, zu provozieren. Eine von ihnen war groß, majestätisch und mit kurzgeschnittenen, schneeweißen Stoppelhaaren, und wurde La Place Maubert genannt, weil sie unentwegt und mit dunkler, hohler Stimme den sie Umgebenden zurief *Ich respektiere La Place Maubert, auf euch scheiß ich!* – niemand kannte einen solchen Platz, aber man nahm an, daß er für sie eine Heiligkeit besaß, der niemand zu trotzen wagte.

Heiligkeit war ein häufig gebrauchtes Wort.

Wenn Jane sie manchmal provozierte und sie in gespielt kindlicher Weise fragte, wo dieser Platz sich denn befinde, konnte die Unglückliche sie daraufhin mit den Händen packen, ihre langen Arme um sie schlingen und sie mit verblüffender und unerwarteter Kraft in die Luft heben, als sei die zarte Jane ein Opfer, das vor einem unsichtbaren oder verschwundenen Gott niedergelegt werden sollte, der sein Gesicht auf ewig von ihnen allen abgewandt hatte, ein Opfer, das auf einem Altar dargebracht werden sollte, wie Abraham es getan hatte, um den strafenden Gott zu erweichen.

Eine Wohltäterin konnte ihr dann zu Hilfe kommen. Nicht weit entfernt von dieser erschreckenden und aufwühlenden Szene befand sich stets Perdrix, eine grobe, männliche Frau, die im Gespräch eine überraschende Begabung und intellektuelle Ausgeglichenheit beweisen konnte, deren Körperbewegungen jedoch nicht mit ihrem Verstand koordiniert waren: ihr Körper wanderte sozusagen selbständig auf dem Platz umher, austretend und ruckend, mit beiden Füßen gleichzeitig über die Abflußrinnen hüpfend. Perdrix hatte sich angewöhnt, Jane aus der Distanz zu betrachten, oder eher zu bewachen, und wenn dieser von der gefürchteten La Place Maubert ernstlich Gefahr drohte, stürmte sie jedesmal vor und riß der geisteskranken Frau die schreiende Jane aus den Armen, küßte sie zärtlich und hielt sie an, sich vor ihrer gefürchteten Widersacherin zu verstecken. Es war übrigens diese im Grunde kluge und gute Perdrix, mit ihren eigentümlichen Zuckungen, der die legendäre Schauspielerin Sarah Bernhardt einen Besuch abstattete, um sich, auf Anraten des kunst- und theaterinteressierten Professors Charcot, von dieser *authentischen Irren, die mit ihren künstlerisch entwickelten Zuckungen die Tiefe ihrer dunklen Gemütswelt enthüllte,* für das Einstudieren einer Rolle inspirieren zu lassen.

Die Begegnung war jedoch gänzlich mißlungen; als Perdrix das Anliegen der Schauspielerin verstanden hatte, hatte sie sich nur heftig umgedreht, den Rock hochgezogen, ihren nackten Hintern gezeigt und die verblüffte Künstlerin mit Gesten und Gebärden zum Haupteingang des Krankenhauses gewiesen, wohin diese dann auch befördert wurde, begleitet von den Lachsalven der Insassen.

Die Schauspielerin hatte später Kontakt zu Blanche Wittman aufgenommen. Doch das war, als das Gerücht über Blanche sich in Paris' intellektuellen Kreisen verbreitet hatte. Sie hatte da zu ganz anderen Fragen Auskunft haben wollen, deren Geheimnis der spätere Torso in der Holzkiste kennen sollte.

6.

Jener ›Tanz der Irren‹, nach dem Jane gefragt hatte, als sie Blanche aufsuchte, um *eine Erinnerung zurückzubekommen,* mußte zur Mittfastenzeit 1884 vom Stapel gegangen sein; es war ein Maskenball, an dem Insassinnen teilnahmen, außerdem eine Anzahl Pfleger und Ärzte.

Jane war als ›La descente de la Courtille‹ verkleidet, sie trug ein Kostüm, das aus einem Männerhemd mit aufgekrempelten Ärmeln bestand, einem breiten roten Gürtel über einer kurzen Unterhose, darüber eine bauschige Hose und ein kleiner Hut mit Federbusch.

Ihr Gesicht war hinter einer Wolfsmaske verborgen.

Es ist ihr erster Ball. Sie tanzt Polka mit einem Mann, der als mittelalterlicher Ritter verkleidet ist, und entdeckt, als er sich später demaskiert, daß es einer der jungen Mediziner ist, den sie sehr gern hat.

Keins der Bilder von Toulouse-Lautrec wird ihr gerecht.

Sie ist, in diesen Jahren, ein Schmetterling. Das Fragebuch gibt eine ausweichende Antwort auf die Frage nach ihrem Aussehen: Jane war auch ein Schmetterling, der vom Himmel geflohen war. Der junge Mediziner hatte ihr am ersten Mai einen Strauß Maiglöckchen geschenkt.

Blanche hat ihr vor dem Ball beim Ankleiden geholfen.

Blanche ist eine der Frauen in der Salpêtrière, die sie bewundert, weil sie einer der Stars ist. Blanche hat ihr ein warmes Lächeln geschenkt und ihr gesagt, sie solle sich hingeben.

Sie gibt sich hin.

Sie beginnt zu tanzen und entdeckt, daß sie nichts wiegt und daß sie fliegt und daß die Musik sie trägt. Sie löst sich von sich selbst und entdeckt die neuen Schritte, mit denen sie später im Moulin Rouge zur Sensation wird, es entsteht ein freier Raum um sie herum, sie tanzt allein weiter in der Mitte all der Menschen, sie applaudieren, sie blicken auf sie, sechzehn Jahre alt ist sie und hat nichts, was sie beschwert. Was tue ich! ruft sie, sie macht eine Pause, geht zu Blanche und fragt etwas, sie fürchtet, einen Skandal zu verursachen.

Blanche beugt sich vor und flüstert ihr etwas zu.

Jane Avril nimmt daraufhin ihren Tanz wieder auf, immer wilder, sie entdeckt, daß sie nicht nur andere Eigenschaften entbehrt als die, tanzen zu können, sie entbehrt auch der Erinnerungen, Schuld, Verzweiflung, sie ist befreit von ihrer Mutter, von ihren Bewunderern, von Ratten, Schlägen und Hieben, sie ist abgeschnitten vom Krankenhaus, ihre Erinnerungen sind amputiert, sie ist sehr leicht, die neuen und unmöglichen Tanzschritte fallen ihr einfach ein, sie ist sechzehn und sie weiß in diesem Augenblick, daß sie absolut frei ist und daß es nichts gibt, was sie binden kann.

In dem Augenblick, als die Musik aufhört, zögert sie eine Sekunde, setzt aber dann, unter absolutem Schweigen, ihren Tanz fort, während alle sie sehen, als wäre sie wirklich ein Schmetterling, der dem Himmel entflohen ist.

Der Schmetterling! Dieses dreimal wiederkehrende Bild, mit dem der Torso im Holzkasten in gewisser Weise lebte und starb.

Aber was hatte Blanche geflüstert?

Für einen Augenblick sieht sie Blanches Gesicht und begreift, daß diese verzweifelt ist, und schreckensstarr, wie ein verlassenes Kind. Warum, das weiß sie nicht. Der Augenblick der Freiheit! Und danach ein langes Leben der Jagd nach diesem Augenblick, wie die Jagd des Drogensüchtigen nach der Erinnerung an den ersten Rausch, die Jagd, der Traum, den Augenblick wiederzufinden, die Flucht zurück, die Jagd! die Jagd! und sie wird nie zurückfinden.

Dann der Applaus. *Der kurze Augenblick, in dem alles möglich ist. Dies ist der Augenblick der Liebe, schreibt Jane, oh, wie ich darum trauere, diesen Augenblick, in dem alles möglich ist, nicht ergreifen zu können, und in ihm zu verharren.*

In diesem Augenblick war, schreibt sie, der Grund für den Konflikt mit Blanche gelegt worden. Charcot war Zeuge des Tanzes gewesen und hatte lachend applaudiert.

»Wie leicht du dich jetzt bewegst«, hatte er nachher zu ihr gesagt. »Du solltest Tänzerin werden. Du hast ein reiches Leben vor dir. Wenn ich dich sehe, wünschte ich, ich wäre noch einmal jung.«

»Und dann?« hatte sie gefragt.

Am 11. Juli 1884 wurde sie gezwungen, die Salpêtrière zu verlassen. Da verschwindet sie aus der Geschichte, oder geht in sie ein. Was geschieht, ist, daß jemand geht, auf gewisse Weise die Geschichte zugleich verläßt und sie beginnt.

Jane Avrils letzte Monate in der Salpêtrière sind rätselhaft, doch ein paar Puzzleteile finden sich im späteren Teil des Fragebuchs.

Sie sollte an jenem denkwürdigen Nachmittag des 12. April 1913 zu Blanche und Marie zurückkehren. Ihr Leben von da an nahezu spurlos. Auch Toulouse-Lautrecs Zeichnungen hören auf.

Sie war sicher nicht besonders krank in der Salpêtrière, nicht hysterisch, nicht geschädigt, sie konnte gehen, sie konnte tanzen, nichts im Schloß, wie es heute noch dort liegt, zeugt von ihr, nur die Zeichnungen aus den Jahren, die folgten, erzählen von Jane; aber nie von jenem ersten Tanz. Die Zeichnungen machten sie weltberühmt, doch sie selbst sank zurück in die Vergessenheit. Vielleicht war es das, wonach sie Blanche bei ihrem ersten Besuch fragen wollte, die ihrerseits nur auf einem einzigen Bild existiert, dem mit Professor Charcot vor den Zuschauern, und da ohnmächtig.

Die Bilder von Jane schweigen über die Salpêtrière.

Jane Avril wurde entlassen. Die einzige Nachwirkung ihrer Geisteskrankheit, die es vielleicht nicht gab und die vielleicht in der Salpêtrière geheilt wurde, ist ein kleines, eigentümliches Zucken um ihre Nasenlöcher, das ihre Nase zittern läßt wie die eines Kaninchens.

III

Der Gesang vom Leiterwagen

1.

Ich stelle mir oft vor, daß die Begegnung zwischen Blanche, Jane Avril und Marie ziemlich schön war, friedlich, und glücklich. Die Aufzeichnungen im Fragebuch sind kurzgefaßt. Eine hingeworfene und verblüffende Bemerkung: *Ich kann immerhin das Essen bei mir behalten.*

Es war die erste Begegnung zwischen Marie und Jane Avril, einen Monat bevor Blanche starb. Es war das einzige Mal mit den drei Frauen zusammen. Blanche zeichnete die Begegnung im Fragebuch auf, die letzte Seite.

Sie hatte wohl gedacht, es könnte ein Ausgangspunkt sein.

Die beiden anderen hatten Blanche in der Holzkiste auf die Terrasse hinausgerollt, und da hatten sie gesessen, Marie hatte etwas darüber gesagt, daß sie immerhin das Essen bei sich behalten konnte. Da hatten sie verstanden, daß sie würde überleben können.

Sie hatten auf die Bäume geblickt, es war ziemlich schön gewesen, und danach sahen sie sich nie wieder.

Nach Maries Zusammenbruch, als ihr Geliebter Paul sie verlassen hatte, und nach dem zweiten Nobelpreis, dem in Chemie 1911, schreibt Blanche eine Zeitlang nur sehr kurzgefaßt im Fragebuch und benutzt nie das Wort ›Liebe‹.

Als sei sie müde geworden, oder von Wut gepackt worden.

Das zweite Notizbuch, das schwarze, unterscheidet sich von den anderen. Maries Zusammenbruch wird nur in eigentümlichen poetischen Bildern berührt: Sie befinden sich in Paris, aber die Bilder sind arktisch.

Vielleicht schreibt Blanche über sich selbst. Liegt man in einer Holzkiste, ist es natürlich, von Expeditionen nach Grönland zu träumen. Dann versteckt sie sich in Marie, die durch eine Schneelandschaft geht, durch tiefen Schnee aufwärts stapft zu dunklen und unbewohnten Häusern, im Eisgrab begraben wird, in einer Schneelandschaft von fallenden Bäumen zerschmettert wird.

Blanche schreibt mit der rechten Hand. Das ist die, die noch übrig ist.

Ich habe den Karren nicht beschrieben.

Nach der letzten Amputation bewegte Blanche sich immer weniger, verbrachte die meiste Zeit im Bett; aber um ihr eine gewisse Bewegung zu ermöglichen, hatte Marie einen kleinen wagenähnlichen Karren anfertigen lassen, so daß Blanche, in der Holzkiste sitzend, sich mit Hilfe der Hände (oder der Hand!) durchs Zimmer rollen konnte.

Und dann plötzlich ein Prosagedicht über Professor Marie Curie auf Expedition durch die arktischen Eiswüsten, fröhlich! Und in dem Holzkarren!

Sie will Bilder zum Trost geben. Sie behauptet, sie zeichne Maries Träume auf. Einer von ihnen handelt vom Tod des geliebten Gatten.

Es ist der vom Vogel im Nebel.

Marie war, schreibt Blanche, am Morgen nach Pierres Tod um 03.45 Uhr erwacht, und der Traum war ganz lebendig gewesen. Sie war sich mit der Hand über ihr Gesicht gefahren, über die Haut der Wange, um zu wissen, daß sie wach war: Der Traum war sehr wirklich gewesen, und sie der Antwort sehr nahe. Sie hatte an einem See gestanden, am Ufer. Es war nicht das Meer, nicht Saint-Malo, sondern ein Binnensee, vielleicht in Polen, ein See in der Nähe von Zakopane.

Draußen über dem See hatte ein eigentümlicher Morgenhimmel gehangen, die Dunkelheit war aufgestiegen, hatte aber eine schwebende graue Decke zurückgelassen, mit einer Art Widerschein der Dunkelheit, sie schwebte vielleicht zehn Meter über dem Wasser, das absolut still und glatt war, wie Quecksilber. Da waren Vögel. Sie schliefen, eingebohrt in sich selbst und ihre Träume. Sie hatte gedacht: Können Vögel träumen? Der Nebel hing so tief, daß er nur die Sicht auf das Wasser und die Vögel freiließ. Kein jenseitiges Ufer, nur eine breite, unbewegte Wasserfläche. Ein unendliches Meer vielleicht, aber sie war sich nicht sicher.

Marie stellte sich vor, daß sie sich an einem letzten Ufer befand, und vor ihr nichts.

Eine letzte Grenze. Und die Vögel, eingebohrt in ihre Träume.

Plötzlich eine Bewegung, ein Vogel, der aufflog. Sie hörte keinen Laut, sah nur, wie er mit den Flügelspitzen die Oberfläche des Wassers peitschte, freikam, schräg aufstieg: Es geschah plötzlich, doch leicht, fast schwerelos. Sie sah, wie er abhob und aufstieg zur grauen Decke des Nebels, und verschwand.

Keinen Laut hatte sie gehört.

Sie hatte still am Strand gestanden und gewartet, daß der Traum weiterginge, daß eine Lösung sichtbar würde, doch nichts geschah. Dann war sie aufgewacht und hatte gedacht, daß es vielleicht so war, als Pierre starb. Wie ein Vogel, der auffliegt und steigt und plötzlich nicht mehr da ist.

Frei, hatte sie gedacht, befreit. Dann hatte sie gedacht: allein.

Sie hatte an die Decke gestarrt. Gar keine Schönheit, keine Freiheit, sie hatte sich in Erinnerung gerufen, daß Pierre tot war, und gespürt, wie die übliche Verzweiflung und Trauer durch das Morgengrauen hereinwallte. Der Traum hatte sich verflüchtigt. Plötzlich war sie unsicher.

Vielleicht handelte der Traum nicht von Pierre, sondern von ihr selbst.

Marie hatte später versucht, *den geographischen Hintergrund* zu erklären.

Die Erklärung sei einfach, hatte sie gesagt. Marie war zwölf Jahre alt gewesen. Es war in Zakopane. Sie sollte mit dem Schlitten einen Hang hinunterfahren, der Berg war hoch, die tiefliegenden Wolken breiteten sich wie eine Decke über die Mitte des Hanges aus. Sie hatte ein wenig Angst, auf die atemlose Weise, die sie liebte. Man rief nach ihr, aus dem Tal, unsichtbare Stimmen vom Fuß der Wolke: Fahr los, Marie!

Sie wußte, wenn sie losführe, würde sie vor Angst fast gelähmt sein, und frei.

Dann hatte sie tief Luft geholt. Marie! Marie! Und dann ging's los. Das war die ganze Bedeutung des Traums. So stellte sie sich die Liebe vor.

2.

Marie! Marie! Und dann ging's los.

Einfach? Nein, nicht so einfach.

Pierre sei ihre dritte Liebe, vertraute sie Blanche an. Die beiden ersten waren in ihrer Jugend gewesen, in Polen.

Die dritte war Pierre.

Sie erinnerte sich an das erste Mal, als sie Pierre Curie gesehen hatte. Er hatte an einem Balkonfenster gestanden und lieb ausgesehen. Dann hatten sie sich über einen Roman von Zola unterhalten, und über die Möglichkeit des Wunders, in Lourdes. Sie hatten angefangen, Briefe zu wechseln. Sie bekannten beide, daß sie Kälteschäden an der Seele hätten. Deshalb würden sie nicht noch einmal lieben können.

Selbst benutzt sie den Ausdruck ›Frostschäden‹.

Drei Jahre später heirateten sie und bekamen mit der Zeit zwei Kinder. Dann starb Pierre. Das war die ganze Geschichte, in kurzer Zusammenfassung. Ich vergesse eins. Ihnen wurde gemeinsam ein Nobelpreis in Physik verliehen.

Jetzt ist die Geschichte komplett. Das war Maries dritte Liebe.

Und die vierte?

Sie erinnert sich an den Beginn der vierten Liebe, der zu Paul Langevin, nach Pierres Tod.

Der Beginn ereignete sich am 2. Juni 1903.

Sie hatte an diesem Tag ihre Doktorarbeit verteidigt. Sie war glücklich. Dieser Widerstand! diese Verachtung für Frauen an der Universität! daß sie die eine von nur zwei Frauen unter neuntausend Studenten an der Sorbonne war, die promoviert hatte! Aber sie hatte sich durchgebissen. Sie erinnerte sich, daß in der Aula der Universität eine feierliche Stimmung herrschte. Ihre Familie aus Polen war angereist.

Alles war glücklich verlaufen.

Und dann der Abend!

Der frisch verheiratete Ernest Rutherford, noch jung und nicht weltberühmt, war angekommen und hatte unangemeldet das Laboratorium der Eheleute Curie aufgesucht, aber den Bescheid bekommen, daß sich alle wegen Maries Disputation in der Universitätsaula befänden. Er besuchte daraufhin Paul Langevin, der mit seiner Familie in einem Haus gegenüber dem Park Montsouris wohnte. Er arrangierte ein Fest und lud das Ehepaar Curie ein.

Und hier, schreibt Blanche, wird Marie von diesem Paul angestoßen, wie eine Billardkugel von ihrem Queue! und bewegt sich wie die Billardkugel! doch ohne zu verstehen.

Nach dem Abendessen war die ganze Gesellschaft hinaus in den Garten gegangen, angeführt von Paul Langevin, der Marie liebenswürdig seinen Arm gereicht hatte.

Pierre Curie hatte da ein zur Hälfte mit Zinksulfid überzogenes Rohr hervorgenommen, es enthielt eine ansehnliche Menge Radiumlösung, die in der Dunkelheit stark leuchtete. Es war, fand Marie, das großartige Finale eines unvergeßlichen Tages, und alle, besonders Paul, waren von dem Leuchten bezaubert gewesen, was sie gefreut hatte.

Sie hatte die Worte *vom Leuchten bezaubert* mit einer nahezu kindlichen Freude gesagt, die, so heißt es im Fragebuch, Blanche vollkommen atemlos machte.

Marie hatte viele Gesichter, eins war das kindliche, das sie nicht kontrollieren konnte. Dann nahm sie erschrocken ein anderes Gesicht an, *einen anderen Ton*, und wurde wissenschaftlich, *das ruhige, weltberühmte Gesicht,* das Blanche manchmal *das hysterische oder katatone* nannte. Ihre dritte Liebe, erklärte sie in den Gesprächen mit Blanche, also Pierre Curie, war etwas Außergewöhnliches, und sie bekamen auch zwei Kinder.

Die nachfolgende vierte Liebe war jedoch tödlich. Sie wußte es, daher die Verlockung. Blanche fragte Marie oft, warum sie sich dafür entschieden habe, für diese ganz und gar unnötige vierte Liebe alles zu zerstören – Ansehen, Karriere und Glück. Sie habe doch gewußt, daß diese Liebe Züge von Banalität hatte und ihrer nicht würdig war, und ein verheirateter Mann! *Ja! ja! ja ja ja!!!* konnte Marie dann antworten. *Hör auf!*

Als könne diese unbesonnene Antwort das Unbesonnene erklären!

Bei der ersten Begegnung am Beginn der vierten Liebe – sie benutzt wirklich diese sachliche Sprache, sie war ja auch eine anerkannte Mathematikerin – hatte etwas Unerklärliches stark in der Dunkelheit geleuchtet. Das sollte das Bild werden, an dem Marie festhielt. Bei der Begegnung mit der dritten Liebe, Pierre, gab es nichts dergleichen.

Also: keine Verlockung von Tod. Auch nicht wie Blanches Liebe zu Charcot, von der das Fragebuch ja eigentlich zu handeln vorgibt.

Dieses ›eigentlich‹.

Bei der ersten Begegnung mit Pierre Curie hatte dieser über Emile Zolas Roman ›Lourdes‹ gesprochen und die Wunder in Lourdes ›eine Lästerung wider den wissenschaftlichen Geist‹ genannt. Marie hatte ihm zugestimmt; sie hatte Blanche von diesem ersten Gespräch erzählt.

»Alle haben ein kleines Gedicht in ihrer Vergangenheit«, hatte Blanche da gesagt, »etwas, was im reifen Alter dann als eine Lästerung wider den wissenschaftlichen Geist dargestellt wird!« Und dann hatte Blanche mit einem Lachen hinzugefügt, sie habe, in der Salpêtrière, *mehr Wunder erlebt, als die kleine Heilige in Lourdes sich träumen lassen könne.*

Pierres und Maries Ehe sollte ja zur Legende werden. Ihr Glück ist eins der bestdokumentierten in der Geschichte der Liebe.

Gegenüber dem, was die Zukunft zu einer *historischen Liebe* erklärt hat, trägt man eine schwere Verantwortung, wenn man ein Teil davon ist.

3.

Blanche weiß ja nicht, was Liebe ›eigentlich‹ ist.

Sie schreibt darüber, aber nur über das, was sie nicht versteht. Zu erklären versuchen, was man versteht, geht nicht.

Man denke nur an den Fall Pasqual und Maria Pinon!

Pasqual Pinon war ein mexikanisches Monster, das in einer Grube arbeitete, ein Monster mit einem Doppelkopf. Der zweite Kopf war ein Frauenkopf. Sie hieß Maria. In den zwanziger Jahren waren sie mit einer amerikanischen Freakshow an der Westküste auf Tournee. Ihr Kopf wuchs oben aus seinem heraus, er trug sie, wie ein Grubenarbeiter seine Stirnlampe trägt. Sie war schön. Sie war auch eifersüchtig: Wenn er mit anderen Frauen sprach, sang sie böse. Es war lautlos, aber der Schmerz zerriß ihn beinah. Es war in gewisser Weise eine normale Ehe.

Wenn man über sie schrieb, konnte man zeigen, wie die normale Liebe aussah. Das war die Absicht.

Aber das geht ja nicht. ›*Sie lebten und starben gefangen ineinander. Zuerst unglücklich, dann – ja, es war wohl Glück. Er trug sie, wie der Grubenarbeiter seine Stirnlampe trägt; durch diese Lampe fielen Dunkel und Licht, es war, wie es meistens ist.*

Im Spiegel konnte er ihr Gesicht sehen, die Augen, die sich öffneten und schlossen, die hilflos zuckenden Augenlider, wie bei einem gefangenen Rehkitz, den Mund, der Worte zu formulieren versuchte, die ihn nie erreichten. Sie hatte ja keine Stimmbänder. Er rührte häufig sanft an ihre Wange, in Hilflosigkeit. Er hätte sie küssen wollen, aber er konnte ja nicht. Er fand, wenn er sie in seinem Spiegel sah, daß sie schön war. Er hatte sie nicht gefangenhalten wollen, aber er hielt sie gefangen. Es gab eine Zeit, da haßte sie ihn dafür.

Später hatte sie verstanden.

Sie gefangen in seinem Kopf, er gefangen in ihrem. Gefangen ineinander lebten sie dicht an der äußersten Grenze, ihre Ehe war ein Zustand, der nicht über das Gewöhnliche hinausging, aber vielleicht deutlicher. Sein ganzes Leben lang trug er sie. Zuerst mit Wut und Haß, danach mit Geduld und Resignation, am Ende mit Liebe.

In den letzten Jahren wollte er immer mit der Hand an ihrer Wange einschlafen.‹

4.

Marie! Marie! Und dann ging's los.

Eine andere Frage, bedeutend später im Fragebuch, mit einem anderen Tonfall: **Was meinte Marie zu dieser Zeit mit Liebe?**

Man muß sich vortasten. Man darf nicht aufgeben.

Marie war glücklich, als sie, nach einer Geldzuwendung von Baron Edmond de Rothschild, zehn Tonnen Pechblendenschlacke erwerben konnte, ein Abfallprodukt bei der Urangewinnung, das alle außer Marie und Pierre Curie als wertlos betrachteten.

Marie war glücklich, als die Säcke mit der braunen Schlakke, mit Kiefernnadeln vermischt, eintrafen. Sie weist Blanche in den Umgang mit dem Material ein; es ist eine schwere Arbeit. Marie und Blanche müssen zwanzig Kilo Rohware auf einmal bearbeiten, und überall in dem Schuppen, den sie das ›Laboratorium‹ nannten, standen große Kübel, randvoll mit verschiedenen Rückständen und Lösungen.

›Es war mühselig, die Behälter nach draußen zu schaffen, die Lösungen umzugießen und Stunde um Stunde dazustehen und in der siedenden Masse zu rühren, um auf diese Weise Radium von Barium zu trennen, was schwieriger war, als Polonium von Wismut zu isolieren.‹

Jetzt formuliert Marie ihren damaligen Traum von Liebe.

›Pierre und ich waren vollkommen davon absorbiert, in die neuen Gebiete vorzudringen, die sich uns dank der Entdekkung des Radiums eröffneten, die wir so wenig erwartet hatten. Und wir waren sehr glücklich, obwohl die Arbeitsbedingungen so anstrengend waren. Den ganzen Tag verbrachten wir im Laboratorium, meistens aßen wir nur eine kleine einfache Studentenmahlzeit am Arbeitsplatz. Eine große Ruhe herrschte in unserem dürftigen, baufälligen Schuppen. Dann und wann, wenn wir einen Prozeß überwachten, spazierten wir draußen im Hof auf und ab und sprachen über unsere Arbeit, die, die uns gerade beschäftigte, und die, die auf uns wartete. Wenn uns kalt wurde, wärmten wir uns mit einer Tasse Tee auf, die wir vor dem Kamin einnahmen.

Wir lebten wie in einem Traum, vollständig verschlungen von unseren Gedanken.‹

Liebe zur Arbeit, aber auch zu Pierre.

Blanche schreibt es auf, der Ton hoffnungsvoll, beinah enthusiastisch. Man muß sich Blanche vorstellen, als wäre es ein Gemälde, das eine Spitzenklöpplerin darstellt, mit gesenktem Kopf, mit Ernst, Trauer, nicht mit sichtbarem Körper, wie sie in ihrer Kiste liegt, beide Beine amputiert, immer besessener von dem Gedanken, den Schlüssel zur Liebe zu finden, zur Leidenschaft und zum Leben. Blanche Wittman, eine der sinnlichen Legenden des 19. Jahrhunderts, das Objekt der heimlichen Verehrung all dieser Männer, die sie betrachtet haben, aber nicht berühren durften!

Und wie sie verstehen will, in ihrer Kiste.

Blanche versucht unverdrossen zu verstehen.

Die wissenschaftliche Arbeit an der Aufspürung und Isolierung des Stoffes, für den man noch keinen Namen hatte, den man später jedoch Radium nennen sollte, war eine *aufwendige und spannende* Arbeit, schreibt Blanche. Sie identifiziert sich stark mit Marie, fast hochmütig; eine Laborassistentin, die einmal weltberühmt war als *etwas anderes*: ein Medium an der Salpêtrière. Welche Vermessenheit.

Was konnte sie Marie beibringen.

Pierre kommt im Fragebuch fast nicht vor, er ist eifersüchtig ausradiert. *Marie und ich mußten tagelang mit einer schweren Eisenstange, die fast so lang war wie wir selbst, in einer siedenden Masse rühren. Oft waren wir völlig zerschlagen vor Erschöpfung, wenn der Tag hinter uns lag. Marie war jedoch glücklich, weil ihr Bestreben, Radium zu isolieren, in diesen Jahren von Erfolg gekrönt wurde. Doch ach, wie schwierig war nicht alles für sie, wie minutiös und penibel mußte sie mit fraktionierter Kristallisierung arbeiten bei ihren Versuchen, Radium zu konzentrieren. Da wurde sie häufig ärgerlich über die umherfliegenden Eisenspäne und den Kohlenstaub, vor denen sie ihre kostbaren Produkte kaum zu schützen vermochte; doch der Mißmut, der sich zuweilen nach einem wenig erfolgreichen Versuch bei ihr einstellte, währte nicht lange, sondern wich einer erneuten Arbeitslust. Deshalb konnte sie endlich, im Juli 1902, mitteilen, daß es ihr gelungen war, ein Dezigramm Radium zu isolieren, und sie gab dessen Atomgewicht mit 225 an, in Mendelejews periodischem System also hinter Barium plaziert, in der Spalte für alkalische Erdartenmetalle.*

Es sind die ersten Jahre des zwanzigsten Jahrhunderts, gleichzeitig verfaßt sie, ohne Hochmut, einen Bericht *über die Entstehung der modernen Welt.* Zuweilen Pierre Curie anwesend, zuweilen Blanche, jemand fragt, jemand schreibt, zuweilen Blanche, zuweilen Marie, und immer im Mittelpunkt ein Stoff mit Namen Radium, rätselhaft leuchtend, flatterhaft wie die Liebe, noch nicht tödlich.

Wenn man eine neue Welt sucht, darf man keine Angst haben vor dem alten Lehm, der an den Füßen klebt.

In Pierres letztem Lebensjahr zeigten die Eheleute Curie großes Interesse an einem weiblichen Medium namens Eusapia Palladino, das durch die Welt reiste, um ›Kontakte zwischen den Welten der Lebenden und der Toten herzustellen‹. Sie war in einem italienischen Bergdorf geboren und war als Kind gefallen und hatte sich ein Loch in den Kopf geschlagen; einer Theorie zufolge trat aus diesem Loch, wenn sie sich in Trance befand, ein ›kalter Hauch‹ aus.

Sie konnte auch Stühle zum Tanzen bringen.

Pierre und Marie Curie trafen sie 1905 zum ersten Mal. Sie studierten sie bei einer Reihe von Séancen und fanden keine Erklärung. Warum hätten sie das auch können sollen, wenn die Radiumstrahlung noch nicht erklärt werden konnte? Am Nachmittag des Tages, an dem er starb, sprach Pierre in der Physikalischen Gesellschaft über das Phänomen Eusapia Palladino und plädierte enthusiastisch für ›das Überzeugende und Wirkliche des Phänomens‹.

Zwei Stunden später war er tot. So war das. Warum nicht? Was unterscheidet Blanches Suche von Pierres, oder Maries?

5.

Maries zwei erste Lieben waren in Polen.

Es war, bevor Marie zu Liebe drei und vier reiste, vor der Zeit in Paris. Vielleicht war ihre allererste Liebe jedoch ihr Heimatland Polen. Sie ist häufig aufgebracht, aber über die zaristische Unterdrückung oder über etwas anderes? Als Dreizehnjährige, bei einer Unterhaltung über ›Othello‹, vertritt sie in einem wütenden Ausfall gegen Desdemona die Ansicht: *Nein! Und abermals nein! Was war die ›süße Desdemona‹ für eine Figur, die es ohne ein Wort des Protests zulassen konnte, daß man ihr ins Gesicht schlug! So etwas kann nur ein einfältiges Lamm zulassen!* Einer ihrer Freunde hatte ihr daraufhin versichert, daß eine liebende Ehefrau mehr als das zulassen konnte, wenn es erforderlich war, um ihren Gatten zu besänftigen, aber Marie hatte da noch wütender entgegnet, *ein Mensch, der auf das gröbste gekränkt wird, wählt den Tod!* Und so war es weitergegangen, in eine ganz andere Richtung, *ich kann eine Kränkung ertragen, und sie sogar verzeihen, wenn sie mich und niemand sonst betrifft, aber ich würde niemals verzeihen, daß mein Vaterland gekränkt wird!*

Ihre ersten beiden Lieben ließ sie hinter sich, wie Schlangenhäute, schreibt Blanche mit überraschender Giftigkeit. Mit der Liebe war es wie mit der polnischen Kultur und der polnischen Sprache. Die Unterdrückung preßte die Liebe unter die Oberfläche. Am Ende sprengte die Liebe sich frei. Sie war in diesem Sinne eine Befreiungsbewegung und folglich tödlich, wenn freigesetzt. Die russischen Unterdrücker verfolgten das Prinzip der Liebe auf jede erdenkliche Weise, deshalb mußte der Unterricht in polnischer Sprache und polnischer Kultur im geheimen fortgeführt werden, um der Liebe willen.

Von dem ersten Mann, einem jungen Offizier, gibt es nur einen Namen, und ein Porträt. Er konnte sie nicht beherrschen, und wurde zurückgelassen.

Die zweite Liebe ließ sie ebenfalls hinter sich, und *freute sich über das, was gewesen war,* auf dem Weg nach Paris und zur Forschung.

Bilder zeigen sie streng geschnürt, mit sehr schmaler Taille und hervortretender Büste. Sie galt ihr ganzes Leben lang als schön, und sinnlich, von den Händen abgesehen, die frühzeitig von den Radiumstrahlen verbrannt und entstellt wurden. *In der Liebesekstase verbarg sie ihre Hände im Haar des anderen, wie aus Liebe, doch vielleicht aus Scham,* bemerkt Blanche im Fragebuch. Ihre Hände waren narbig. Die Liebe hatte sich in ihre Hände eingebrannt, als sei sie ein Tier und dieses Radium ein Brenneisen.

Blanche benutzt häufig Bilder. Das mit dem Brenneisen, und dem Radium, kehrt wieder.

Die geheimnisvolle blaue Farbe, die vielleicht eine Strahlung ist. Und sie versuchen ständig, sie zu erklären.

Maries Reaktion auf Pierres Tod?

Im Dossier über das doppelköpfige mexikanische Monster Pasqual Pinon und seine Ehefrau Maria findet sich etwas in der Todesszene.

Vielleicht da. Oh, wenn es sich nur da fände!

›*Er starb am Abend des 21. April 1933 in einem Krankenhaus in Orange County in Los Angeles. Die Krankenschwester, die ihn das letzte Jahr gepflegt hatte, und die Helen hieß, saß die ganze Zeit an seiner Seite. Sein Tod war schmerzfrei: Als er starb und das große dunkle Gesicht still wurde und der Arm herabfiel, da geschah es leicht, wie wenn ein Vogel vom See auffliegt, lautlos und leicht, durch den Nachtnebel steigt und verschwindet: ganz leise, still. Dann ist er fort.*

Dem Journal zufolge starb Maria acht Minuten nach ihm.

Als er starb, hatte sie zuerst die Augen aufgesperrt, mit einem Ausdruck unerhörten Entsetzens, als hätte sie sofort verstanden, was geschehen war; der Mund, der ihr ganzes

Leben hindurch versucht hatte, eine Nachricht zu übermitteln, bewegte sich, als bäte sie um Hilfe. Aber auch jetzt kamen keine Laute heraus. Keine Laute. Einige Minuten lang war es, als versuchte sie verzweifelt, jemandem dort draußen eine Nachricht zuzurufen, vielleicht galt sie ihm, vielleicht versuchte sie in ihrer Angst, ihn zurückzurufen. Aber der Vogel war aufgeflogen, der Nachtnebel lag wieder unbeweglich über dem See, und sie war allein.

Was wollte sie rufen? Niemand weiß es. Liebe soll man nicht zu erklären versuchen. Aber was wären wir, wenn wir es nicht versuchten?

Dann wurde sie plötzlich vollkommen still, und ihre Augen füllten sich mit Tränen. Der Vogel war aufgeflogen, und sie war allein; das war das zweite Mal, daß man sie weinen sah. Das erste Mal war gewesen, als sie auf der Treppe des Wohnwagens gesessen hatte, als die Krise vorüber war und der Hundmann ihre Wange mit der Flügelfeder eines Vogels gestreichelt hatte. Nun war es das zweite Mal, aber sie war ruhig. Sie war bereit, den unerhörten Schritt in die kurze Einsamkeit zu tun, hinaus in die schwindelnde Leere, aber sie würde es schaffen. Sie lag jetzt still, den Blick nach oben gerichtet, sah gerade durch alles hindurch, als könnte nichts sie hindern. Dann trennten sich die Lippen langsam, in einem sehr schwachen, aber deutlichen Lächeln, sie schloß die Augen und starb.

Acht Minuten war sie allein gewesen.‹

Beide, Pierre und Marie, betrachteten sich selbst als Menschen an der Peripherie des Daseins. In dieser Randsituation waren sie in ihrem Suchen nach dem Geheimnis zusammengeschweißt. Diese Symbiose ist das Geheimnis der Liebe, hatte Marie Blanche erklärt.

Zusammengeschweißt?

Marie stand außerhalb, sie war ja mit den Gedichten von Mickiewicz und den wütenden und flammenden Appellen der polnischen Patrioten aufgewachsen, das Feuer! die Berufung! die Sprache!, so liebte sie zu beschreiben, wie es war.

Dann begegnete sie Pierre, der der Enkel eines Kommunarden war.

Man könnte sich ihn als einen der Offiziere vorstellen, die Marie in ihrer Jugend verließ: man könnte sich ihn als unerhört stark vorstellen, als Degen, eben als einen Kommunarden; aber plötzlich sah sie, wie krank er war, und hinfällig.

Das Husten. Das leichenblasse Gesicht.

Warum bleichten diese leidenschaftlichen Liebhaber des Radiums so eigentümlich aus?

Ja, sie bleichten aus, sie verblaßten.

War es das flackernde blaue Licht? Vielleicht war es das blaue Licht der Symbolisten, oder das blaue der Dekadenz, oder Huysmans' blaue Duftorgeln: Alle konnten das blaue Licht des neuen Jahrhunderts auf ihre Weise deuten. Als habe man geahnt, daß das neue Jahrhundert rätselhaft und entsetzlich werden würde, und dies färbte auf die Metaphern ab! Duftorgeln! Medusa!

Aber war die Liebe auch tödlich? die Krankheiten unerklärlich? das Leben ausgebleicht? Was war los mit Pierre, was wußten die Ärzte?

Die Ärzte und die Wissenschaft wußten nichts. Sie konnten ja nicht einmal sagen, was mit dem eigentümlichen Menschen Blanche Wittman nicht stimmte, Blanche! dem Medium! der Hysterikerin aus der Salpêtrière, die gesund und stark geworden war, zusammen mit weiteren an die tausend hysterischen Frauen, doch erst nach Charcots Tod!, mit ihr, die jetzt dort in ihrer Holzkiste lag und schrieb.

Schrieben sie und Marie das große Gedicht des neuen Jahrhunderts?

Pierre konnte wegen der Rückenschmerzen nachts nicht schlafen.

Er meinte, daß die Wirbelsäule sich zersetzte. Sie reisten nach Carolles, danach nach Saint-Malo; es war die gleiche Küste, an der Charcot einst, vor vielen Jahren, ein hohles Schilfrohr in den Mund seines Bruders gesteckt hatte, während die Flut langsam stieg. Blanche hatte die Geschichte erzählt, Marie war skeptisch gewesen, ungläubig. *Er verdeckt das Verbrechen Liebe durch ein anderes Verbrechen!* Aber jetzt ging Pierre eingefallen und schweigend über den von der Ebbe freigelegten Strand, war es Leukämie? oder Krebs? warum war er so schweigsam?

Er war sechsundvierzig Jahre alt. Er war ständig müde. Sie stritten sich deshalb manchmal. Am letzten Tag blieb Marie in Saint-Rémy, um in der Sonne zu liegen. Pierre nahm den Zug in die Stadt. Sie stritten. Sie wollte nicht allein gelassen werden.

Nicht einmal acht Minuten! Nicht einmal so lange!

Dennoch der Traum von dem Vogel, der auffliegt, und frei ist. Eisfläche. Und weit später: der Traum von der Liebe auf dem Weg zum Tod in Nome.

Pierre hatte als junger Mann, so erzählte er Marie, eine Liebeserfahrung gemacht, die schmerzhaft gewesen war. Die junge Frau, die er geliebt hatte, war mit nur zwanzig Jahren gestorben.

Er bekannte nur dieses: ›gestorben‹ war das Wort, das er benutzte. Nicht ›Selbstmord begangen‹ oder ›sich das Leben genommen, weil ich sie im Stich gelassen hatte‹ oder ›im Glauben an ihren Erlöser sanft entschlafen‹.

Sie starb. Er fühlte sich schuldig.

Er gelobte sich damals, fortan ein Leben im Zölibat zu führen. Dann traf er Marie, er erzählte die Geschichte, sie heirateten, sie bekamen zwei Kinder, und er starb.

Frostschäden an der Seele! Ein Pfahl in der Liebe!

Marie glaubte immer, daß er die ganze Geschichte mit der jungen Frau, die gestorben war, erfunden hatte. Daß er ganz einfach Angst hatte vor Marie. Sie hatte bei Blanche darüber geklagt: Warum haben alle Männer solche Angst vor durch und durch lebendigen Frauen, daß sie Stärke mit Tod verwechseln, und fliehen.

»Es ist wahr«, hatte Blanche geantwortet. »Du bist nicht stark, aber lebendig, und das ist ungeheuer erschreckend für diejenigen, die nicht verstehen.«

Hatte sie gesagt. Blanche! Sie! In ihrer Holzkiste! Kupiert! Zu einem Torso verkürzt! Ständig mit diesem Notizbuch in der Hand! Und glaubt im Grunde, von sich selbst zu sprechen!

Es ist widerlich.

Es ist Herbst, während ich dies schreibe, entlaubte Bäume. Bald kommt der Schnee, welche Erleichterung. Ich kehre ständig zu Pasqual Pinon und seiner Maria zurück. Kann man jemals mit ihnen fertig werden? Und dann die Furcht, daß es, falls man fertig wird, eine Antwort geben könnte, die alles zunichte macht.

Es darf keine Antwort geben.

Blanche in ihrer rollenden Holzkiste, und mit ihrer Besessenheit von Maries Lieben. Warum klammerte sie sich an Marie Curie? *Marie! Marie! Und dann ging's los.*

Die schwere Kunst, Marie loszuwerden, und sich Blanche hinzugeben, wie sie da in ihrer zusammengeschreinerten Holzkiste liegt.

Marie stellte sich vor, daß die Begriffe Liebe und Schuld unauflösbar miteinander vereint waren.

Darum hatte sie Pierres einsame Wanderung an jenem letzten Abend seines Lebens so kristallklar deutlich vor Augen. Er sollte seine letzte, schuldbeladene Wanderung dem Tod entgegen in dem immer stärker strömenden Regen machen, und es war ihr Fehler, weil sie nicht ihn liebte, wohl aber ihre gemeinsame Expedition in den dunklen Kontinent des zwanzigsten Jahrhunderts. Doch das konnte man nicht sagen. Das war ja nur zynisch.

Sie wollte vielleicht frei sein.

Deshalb versicherte sie Pierre ständig, wie sehr sie ihm verbunden war. Es war auch die Wahrheit. Ihn ihrer Liebe zu versichern wurde ihr Lebenszweck. Dann stritten sie sich an diesem letzten Tag, es war eine ihrer immer intensiveren und ermüdenderen Streitereien, nicht lang. Nicht kurz, nur ermüdend; dann hatte er den Zug nach Paris genommen, und sie sah ihn nie mehr wieder.

6.

Die Geschichte von Maries dritter Liebe wurde am 19. April 1906 gegen 18 Uhr beendet, als Pierre an der Stelle verunglückte, wo die Rue Dauphine auf die Pont-Neuf trifft.

Es regnete. Die Kreuzung war stark befahren. Pierre war auf die Fahrbahn getreten, um die Straße zu überqueren, als ein neun Meter langer Leiterwagen, dem polizeilichen Protokoll zufolge ›voll beladen mit Uniformstoffen‹ und von zwei sehr großen Droschkengäulen gezogen, mit hohem Tempo von der Pont-Neuf in die Rue Dauphine einbog. Der Fuhrmann, ein pensionierter Milchfahrer mit Namen Louis Manin, bemerkte eine von rechts auf dem Quai Conti kommende Straßenbahn und zügelte die Pferde; aber der Straßenbahnfahrer machte dem Fuhrmann Zeichen, daß er passieren könne. Der Fuhrmann Manin hatte schon fast die Kreuzung überquert, als hinter einer vorbeifahrenden Droschke eine Gestalt auftauchte. Es war der bekannte Nobelpreisträger in Physik, Pierre Curie, der mit der Schulter des einen Pferdes zusammenstieß und versuchte, in dessen Mähne zu greifen und sich festzuhalten. Die beiden Pferde bäumten sich auf, und der Mann, der erst später als der Nobelpreisträger Curie identifiziert wurde, schien Schwierigkeiten zu haben, sich gelenkig zu bewegen. Ja, er hatte eigentümlich kraftlos und willensschwach gewirkt, vielleicht aufgrund einer Krankheit, die der Fuhrmann Manin selbstverständlich nicht kannte, und von der auch niemand sonst zu diesem Zeitpunkt oder auch später etwas wußte.

Kurz gesagt: Der Mann stürzte auf die Fahrbahn.

Der Fuhrmann versuchte da, das Gefährt nach links zu lenken, und es gelang ihm tatsächlich, mit dem Vorderrad des schwerbeladenen Wagens, der Uniformstoffe in großen Ballen transportierte, an dem liegenden Nobelpreisträger vorbeizusteuern, aber das mit Eisen bewehrte Hinterrad rollte direkt über Curies Kopf und zertrümmerte diesen. Der Wagen wog sechs Tonnen.

Der Tod trat augenblicklich ein, und zwar, wie die Zeitungen berichten konnten, gleichzeitig mit den Meldungen über das große Erdbeben in San Francisco, und in demselben Zeitraum, als eine große Erweckungsbewegung in Los Angeles entstand, wo ein schwarzer Prediger mit Namen Seymour die Geisttaufe empfing und von Feuerzungen berührt wurde, wie beim ersten Pfingsten, von dem in der Apostelgeschichte berichtet wird, und wie da die Gabe der tausend Zungen herabstieg vom Himmel und er in Zungen redete und eine große Erweckungsbewegung ihren Anfang nahm, die später die Pfingsterweckung genannt werden sollte, und die, gleich dem Funken, der einen Präriebrand entzündet, alles in Brand setzte! die Prärie! die Leidenschaft! die Liebe! Und auf diese Weise, in Regen, in Blut, in Verwirrung, in Rationalität und in dem Versuch, die Schritte in die dunkle Zukunft des Menschen zu setzen, nahm das zwanzigste Jahrhundert seinen Anfang. So! genau so! mit einer Reihe durch nichts zusammenhängender Ereignisse, und man teilte Marie mit: Er ist tot, er ist tot, er ist es, ist keiner da, der sich der Frau erbarmen kann! Ihr seht doch, wie es ihr geht!

Man rief die Ehefrau Marie herbei, und sie kam. Und er war tot. Nichts mehr zu machen. Wir müssen alle sterben. Aber er war doch noch so jung.

Und mußte sie da nicht den schwindelnden Schritt hinaus in die Einsamkeit tun?

So endete Maries dritte Liebe. Sein Kopf wurde zertrümmert. In keiner Weise gleich einem Vogel, der von der Wasseroberfläche abhebt und im Nebel verschwindet, nein, sein Kopf wurde ganz einfach von dem sechs Tonnen schweren Wagen zertrümmert, und dann war es zu Ende.

Und so ging es zu Ende. Und so verstand Marie, warum sie ihn so furchtbar geliebt hatte, und dies sollte Blanche in ihrem Buch aufzeichnen, um zu verstehen, und sie gab nicht auf.

Marie, Maria. Und dann ging's los, geradewegs hinein in das schwindelerregende schwarze Loch, das des Meeres tiefstes Dunkel war.

7.

Sie hatten sie gefunden und gesagt, daß er tot war.

Blanche hatte gefragt: Wie sah er aus? Marie hatte nicht verstanden, sie saß auf dem Fußboden neben dem Holzkarren und hatte die Tür zu den anderen geschlossen, wie sah er aus? Du mußt erzählen, wie er aussah, Marie, sonst wirst du verrückt. Ich will nicht, hatte Marie gesagt, du willst, hatte Blanche gesagt. Du hast ihn gesehen. Du mußt erzählen, als wäre es ein Leichenfoto gewesen, das du vor dir hattest, wie sah er aus? Das Gesicht, hatte Marie gesagt, war friedvoll, die Lippen, die ich *gourmandes* zu nennen pflegte, waren blaß und farblos, dann war sie verstummt, sprich weiter, hatte Blanche gesagt. Es muß fürchterlich geblutet haben, hatte Marie gesagt, ich kann nicht mehr. Sprich weiter, hatte Blanche gesagt. Was für ein furchtbarer Stoß, hatte Marie geflüstert, das Haar war kaum zu sehen unter dem geronnenen Blut, *denn dort ist die Wunde*, und auf der rechten Seite sieht man das Stirnbein herausragen.

Dann war sie verstummt, den ganzen Nachmittag. Als habe sie hiermit das ganze Geheimnis ihrer Liebe zu Pierre erzählt. Und Blanche dazu gebracht, das Schreckliche darin zu verstehen, daß man die Liebe gerade in dem Moment entdeckt, in dem sie für immer auf und davon ist, im Regen, über die Straße, unter die Pferde, unter das Eisenrad, schnell und nicht schön, nicht wie der Vogel, der auffliegt, aber fort.

Drei Jahre blieb sie stumm. Und alle wußten, daß Madame Marie Curie jetzt in die graue Geisteskrankheit eingetreten war, die man Trauer nennt, und daß sie das tat, weil sie erst jetzt verstand, was sie geliebt hatte, und daß es jetzt zu spät war.

Und die einzige, einzige, einzige, der sie dies erzählen konnte, war Blanche, das kleine amputierte Monster im Holzwagen, die, die einmal die Liebe erlebt und die quälende Lektion der Liebe und ihr innerstes Geheimnis gelernt hatte.

Marie! Mach dich auf! Bleib nicht stehen! Sieh dich nicht um!

Ich habe mich immer gefragt, wie es ist, für den, der überlebt, wenn eine Liebe endet, fast bevor sie begonnen hat. Fragt man sich das, muß man suchen, und von vorn anfangen. Da ist nichts Falsches dran.

Mein Vater starb, als ich sechs Monate alt war. Amputiert von mir, dem unschuldigen Kind. Ohne Trauer und Verlust! Ich meine, das ist, was man sagt. Es war im März; nachher nahm sie den Bus von der Krankenstation in Bureå, und sie setzten Mama unten beim Hobelwerk ab, und sie stapfte durch den Schnee hinauf zum Waldrand, wo das Haus lag. Es war später Abend und das Haus war dunkel, und ein Nachbar, der nicht weit von Hedmans wohnte, hatte mich zu sich geholt, als mein Vater im Sterben lag. Jemand im Dorf hatte einen Monat vorher prophezeit, daß drei Männer sterben würden, und drei Männer starben. Er hatte geträumt, daß drei Kiefern fielen, und war aufgewacht und hatte verstanden. Das war das Zeichen. Alles in der Nähe des Todes war voll von heimlichen Zeichen, die gedeutet werden konnten, wie Poesie. Tod zwang bei Waldarbeitern Poesie hervor, aber diese norrländischen Holzfäller konnten gar nicht anders, als jede Nacht von fallenden Bäumen zu träumen: Bäume fielen ja die ganze Zeit. Ein Nachbar, der unter eine Kiefer geraten war, hatte zwanzig Stunden im Tiefschnee gelegen, und man fand ihn, erfroren. Er hatte den rechten Arm frei gehabt und mit dem Finger eine letzte Nachricht in den Schnee gezeichnet: HERZLIEB MARIA ICH, und weiter hatte sein Arm nicht gereicht. Poesie? Eher Nachruf. Bäume fielen ständig, doch nicht alle Bäume hatten Bedeutung; man lernte zwischen Traum und Traum zu unterscheiden.

Der Chauffeur, es war Marklin, hatte beim Hobelwerk angehalten und nach hinten in den Bus gefragt, ob nicht jemand da sei, der sich ihrer erbarmen könne, er hatte ausdrücklich gesagt *sich ihrer erbarmen*, doch sie hatte keine Hilfe annehmen wollen, weil es ihr so elend ging und sie es nicht zeigen wollte.

Er war ja jung, als er starb. Ich empfinde es als Erleichterung, nicht an Blanche und Marie und Pierre denken zu müssen und statt dessen an ihn zu denken. Amputiert! Ich fuhr hinauf und traf den letzten seiner Brüder. Er weinte noch immer mit Leichtigkeit, wenn von meinem Vater die Rede war. Das tun alle in der Familie. Und alle, die meinen Vater gekannt haben, hatten *Erinnerungsbilder*, doch keiner konnte richtig sagen, wie er war. Die Leichenfotos, die Bilder von ihm im Sarg, habe ich ja noch. Hoppla! Hoppla!!! Es wimmelte von Leichenbildern aus jener Zeit, und auf einigen davon war er mir so ähnlich, daß die Welt kippte und fast verschwand, aber ich ermannte mich. Keiner konnte sagen, wie er war. *Erinnerungsbilder haben wir zur Genüge, aber nicht mehr als das.* Es waren ja fast siebzig Jahre vergangen, woran kann man sich erinnern, und so war es wohl auch für Marie Słodowska Curie. Es war leichter, das Stirnbein zu beschreiben, das herausragte, doch wie er war, das verschwand dabei.

»Marie«, hatte Blanche gesagt, »erzähl doch, wie er war, nicht wie er aussah.« Doch Marie konnte nicht, und so trat sie in das lange Warten ein, in die Leere, bevor die vierte Liebe kam. Die Leere und die Verzweiflung dauerten drei Jahre, und etwas folgte, doch für die Frau, die Marklins Bus verließ und durch den Tiefschnee zum Haus hinaufstapfte, dauerte es das ganze Leben, und nichts folgte. Man kann sich fragen, was daran gerecht ist, aber vielleicht hatte Blanche eine Antwort darauf in ihren Notizbüchern, die das Geheimnis von der Liebe bewahrten, der, die es gab, oder die erworben wurde, oder der, die jemandem für immer vorenthalten blieb.

Marie, Maria. Und dann ging's los.

Was war das bei Marie, das an meine Mutter erinnerte.

Jemand geht zum Haus im Wald hinauf, im Tiefschnee, zweiunddreißig Jahre alt, schön, bescheiden, verzweifelt und noch nicht so hart, wie die bodenlose Abwesenheit der Liebe einen Menschen machen kann. Und vor ihr liegen sechsundfünfzig Jahre Einsamkeit, die sie selbst gewählt hat, in ihrer Torheit. Aber Marie tat den Schritt, geradewegs in das schwarze, schwindelerregende Dunkel der Liebe, danach war es sechs Monate sehr schön, und dann die Katastrophe.

Aber sie mußten ja beide eine Vorstellung davon gehabt haben, was die Liebe sein sollte. War es nicht so? Verdammt, es muß doch so gewesen sein.

Drei lange Jahre blieb Marie im Limbo.

Dann kam sie heraus. Es war für alle sehr überraschend. Auch die Kinder hatten sich daran gewöhnt, daß sie in Trauer lebte und beschlossen hatte, diese Trauer nicht mehr zu verlassen. Sie versorgte die Kleinen mit erloschenem und grauem Gesicht, schloß sich danach mit Blanche und ihrer Arbeit ein.

Dann eines Tages im April besuchte sie, ohne eingeladen zu sein, ihre alten Freunde, die Familie Borel. Sie trank Kaffee mit ihnen. Sie trug nicht ihr übliches schwarzes Kleid, sondern ein weißes Kleid mit einer Rose in der Taille. Sie sahen, daß sie glücklich war.

Etwas war geschehen. Sie erzählte nichts. Es war die Einleitung zur Katastrophe.

Allein. Aber nur acht Minuten!

Man braucht sich ja nicht zu fügen. Es gibt immer etwas Besseres als den Tod. Wer konnte ihr einen Vorwurf machen?

Viele, wie sich zeigen sollte.

IV

Der Gesang vom Jungen des Wagenmachers

1.

Die Statue von Charcot vor dem Eingang der Salpêtrière wurde 1942 von den Deutschen eingeschmolzen, das Metall wurde der Waffenproduktion zugeführt. Die Portraits von ihm zeigen sein unbewegliches Steingesicht, sie sind zeitgenössisch und zeigen das Bild, das er der Zukunft von sich vermitteln wollte.

Blanche muß geradewegs durch ihn hindurchgeschaut haben.

An Texten über Charcot besteht kein Mangel. Dokumente werden immer von denen geschrieben, die schreiben können, sowie von den Siegern. Es ist auch wünschenswert, daß sie erhalten bleiben, sonst nichts als Schweigen. Sie begrenzen jedoch die Reichweite der Wahrheit. Über die persönliche Beziehung zwischen Charcot und Blanche Wittman fast nichts. Ihr eigenes dreigeteiltes Fragebuch ist deshalb einzigartig.

Sie wollte wohl ganz einfach ihre Geschichte erzählen, glitt aber in die von Marie hinüber. Sie fand vielleicht nicht, daß sie selbst taugte. Marie war etwas anderes, etwas Großartigeres. Tragödien sollen ja großartig sein, nicht wie Blanches eigentümliche amputierte Tragödie. Wie sie da in ihrer Holzkiste lag, war es vielleicht nicht so leicht, zu sehen, daß man taugte. So kann es gehen.

Viel Rede von Liebe. Wenige Antworten.

Aber sie hat eine Geschichte.

2.

An dem Abend, an dem er Blanche überredete, ihn auf der letzten Reise nach Morvan zu begleiten, hatte Charcot ein langes und sehr persönliches Gespräch mit ihr.

Er erzählte überraschend viel vom ersten Teil seines Lebens, besonders den Kinderjahren.

Der Text ist jetzt ruhig im Ton. Es ist offensichtlich, daß sie ihn geliebt hat, trotz allem, was geschehen war, und daß sie nie Haß oder Mißtrauen gehegt hat. Er war *leise und lieb* gewesen, schreibt sie, fast wie in der letzten Nacht in Morvan.

Er hatte Angst vor dem Tod. Als er von Saint-Malo erzählte, wirkte er sehr jung, und schüchtern.

Er wurde in Paris geboren, verbrachte einen Sommer in Saint-Malo. Dieser Sommer ist der einzige aus seiner Kindheit, von dem er spricht.

Er sagt, er empfinde Furcht vor der Küste vor Saint-Malo. Diese Küste sei sein großer Lehrmeister gewesen. Es waren Ebbe und Flut, die ihm Furcht einflößten, der Unterschied betrug sechzehn Meter, es war jenseits aller Kontrolle. Was jenseits aller Kontrolle lag, war das Verlockendste und das Erschreckendste, deshalb hatte er sich ihm später auch gewidmet. Diese Küste, hatte er gesagt, ist wie die Seele des Menschen: der Mensch wird freigelegt und überdeckt in Rhythmen, die Gottes Geist bestimmt hat. Es ist nur ein Bild, bedeutet nichts anderes: er ist nicht gläubig. *Das Heilige beim Menschen ist wie Ebbe und Flut – es legt die Seele des Menschen frei und überdeckt sie* – er gibt an, vor dem schweren Atmen des Meeres Respekt zu haben.

Alles, was so gründlich freigelegt wird, ist notwendig und erschreckend. Das Innere eines Menschen trockenzulegen, so daß Krebse, Meerespflanzen und Schnecken zugänglich werden, das erschreckte ihn. In Saint-Malo an der französischen Küste, am Ärmelkanal, war die Ebbe sehr stark und legte den Strand kilometerweit frei; er und sein jüngerer Bruder gingen hinaus auf dem trockengelegten Meeresboden und später, wenn langsam die Flut kam, folgten sie der hereindrängenden

Wasserlinie zum Land und der Rettung entgegen. Zuerst gehend, spielerisch und überlegen, dann in Panik, während die Flutwelle über ihre Füße rollte und ihnen zuletzt bis zu den Hüften reichte, bis schließlich *von den zwei erschöpften Kindern das rettende Ufer erreicht wurde.*

Charcot hatte Angst davor, angesichts des Todes Hilflosigkeit zu empfinden. Wenn es soweit war, durfte das Wichtige nicht ungetan sein.

Das galt besonders für die Liebe. Dann würde der Tod so sein, als würde man in das furchtbare schwarze Loch der Ewigkeit geschleudert. Wenn der Tod kam, wollte er ihn selbst in der Hand halten, mit einem kleinen Lächeln, *es ist schon vollbracht, komm.* Das Unvollbrachte erfüllte ihn mit Schrecken. Die Liebe zu Blanche war unvollbracht. Er hatte die ganze Nacht von ebendieser Küste bei Saint-Malo gesprochen. Er hielt sich besonders bei einer Episode auf, als sein Bruder, unvorsichtig, an einer Felsmauer am Strand gespielt hatte und während des Spiels mit dem Fuß zwischen zwei Steinen steckengeblieben war. Zuerst hatten die Kameraden seine Hilferufe nicht gehört und seine Situation nicht ernst genommen; doch als die Flut zu steigen begann, waren die Notrufe des Jungen immer gellender geworden und man hatte seine Notlage bemerkt.

Charcot – also der ältere Bruder – hatte versucht, den Fuß des jüngeren Bruders zu befreien, das Wasser war mit unerwarteter Schnelligkeit gestiegen, und der Fuß hatte festgesteckt und sich nicht bewegen lassen. Man war gelaufen, um Hilfe zu holen. Das Wasser hatte dem Jungen da bis zur Brust gereicht, und man war sich darüber im klaren, daß er innerhalb von fünfzehn bis zwanzig Minuten ertrinken würde; Charcot erinnert sich, daß die Augen des Bruders in dieser bedrängten Lage so von Verzweiflung erfüllt waren, daß er sich in seiner Not zuerst mit einem Gebet um Gnade und Verschonung an den Erlöser Jesus Christus gewandt hatte, aber die verzweifelten Hilfeschreie des Bruders, *mit einem Ton, der dem schreiender Seevögel glich*, waren so herzzerreißend geworden, daß er sein Flehen abgebrochen hatte und zum Ufer hinaufgelaufen war, wo ein Haufen angespültes Schilf lag. Er hatte ein Bündel dieser hohlen Rohre gegriffen, das größte ausgesucht, war zu seinem Bruder hinuntergelaufen, der jetzt nur noch mit äußerster Anstrengung den Kopf über Wasser halten konnte, hatte ihm das Rohr in den Mund gesteckt und ihn angewiesen, durch das Rohr zu atmen, wenn das Wasser über seinen Kopf stieg. Das Wasser war da über den Kopf des Bruders gestiegen und eine Rettung noch nicht in Sicht; man konnte annehmen, daß der Fuß zum Beispiel mit einer Brechstange freigestemmt werden konnte und daß ein erwachsener Wohltäter, laufend und mit dieser Brechstange in der Hand und unter beruhigenden Zurufen zu dem in Not befindlichen Jungen hinunterstürmen würde. Charcot hatte beobachtet, wie die verzweifelten und wild aufgerissenen Augen des Bruders vom Wasser überspült wurden, daß ein zischender, keuchender Ton vom oberen Ende des Schilfrohrs zu hören war, das Geräusch, das verkündete, daß das Rohr die lebenspendende Luft zum Bruder hinabließ, dessen Fuß noch immer in einer todbringenden Umklammerung feststeckte. Charcot hatte das Schilfrohr mit der rechten Hand senkrecht gehalten, und mit der anderen krampfhaft die eine Hand des Bruders gefaßt, und auf diese Weise angstvoll auf das Geräusch der Schritte eines laufenden Wohltäters gewartet, *eines Wohltäters, vielleicht mit einer Brechstange in der Hand* oder, wie es sich vielleicht zeigen würde oder sollte, *mit einer Axt, oder vielleicht einer Säge.*

Als sie dies im Fragebuch schreibt, ist der Ton noch ein anderer, und wissenschaftlicherer. Hier widmet sie den Jugendjahren und der frühen beruflichen Laufbahn ihres Geliebten große Sorgfalt.

Er ist der vierte Sohn, und die Mutter stirbt, als er fünf Jahre alt ist, sie ziehen zurück nach Paris, sein Vater war Wagenmacher, *aber als Kind traf C. viele Berühmtheiten,* von ihr unterstrichen, als habe es Bedeutung; sie nennt Delacroix, den Maler, aber auch, daß Charcot bei einer Probe von ›Orfeo‹ anwesend sein durfte. Er war begeistert. In dem Viertel, in dem er aufwuchs, gab es viele Theater und Vergnügungsetablissements, er ist oft begeistert.

Die Begeisterung kehrt immer wieder. Sie nennt Charcot nie beim Vornamen.

Als er die Arbeit in der Salpêtrière antritt, stellt er fest, daß die Patienten im Schmutz leben und *sexuell ausgehungert* sind, sie befriedigen sich selbst auf eine nahezu manische Weise, und daß die ungefähr sechstausend Frauen eine *unlenkbare Masse* sind – er hat ebendiese Worte benutzt –, aber daß einige der Patientinnen *außergewöhnliche theatralische Begabung* zeigen, und daß dieses künstlerische Element ihn verblüfft und begeistert. Er erwähnt, ohne danach gefragt worden zu sein, Jane Avril; Blanche schiebt an dieser Stelle ein *die tanzte wie ein Schmetterling, der vom Himmel geflohen ist*, er reagiert nicht, sie hält es fest.

Vielleicht ist er auch da begeistert, nimmt sich jedoch zusammen.

Alle Fotografien von Charcot zeigen ein steinernes Gesicht, dennoch schreibt sie ein übers andere Mal, daß er ›begeistert‹ ist. Die Kunden seines Vaters, des Wagenmachers, sind sozial angesehen. Während der Probe zu ›Orfeo‹ fiel C. ein Sänger auf, der begeisternd sang. Die masturbierenden Frauen in der Salpêtrière machten ihm angst, doch er nahm sich immer zusammen. Es war wichtig, ihnen besseres Essen zu geben und die völlig verschmutzten Säle zu reinigen.

Er nennt sich Aufklärer. Er begründet dies mit seinem sozialen Engagement für die Hygiene der Patienten, und mit der Begeisterung.

Seine Mutter war im Kindbett gestorben. Die Worte ›begeistert‹ und ›sich zusammennehmen‹ kehren im Fragebuch mehrfach wieder. Als er seinen Bruder rettete, hatte er sich zusammengenommen und zur Säge gegriffen, und hinterher hatte sein Bruder ihm mehrfach dafür gedankt.

C. bildete sich zum Arzt aus. Seine Brüder wurden Wagenmacher (der Einbeinige), Soldat und Seemann. C. war der Beste seiner Klasse. Er *hatte Sinn für das Logische in Descartes' Argumentationsketten.* Als er einmal bei der Familie eines Klassenkameraden eingeladen ist, gab es dort ein Tierskelett, das eine starke Faszination auch für den menschlichen Körper und all seine Bestandteile in ihm weckte. Er bezeichnet sich als Positivisten und erklärt, die mageren Bettler auf den Trottoirs in Paris studiert zu haben, um besser sehen und verstehen zu können, was das Innere des Menschen ist: damit meint er, noch, das Skelett und die Körperteile. Er ist, wiederholt er, Aufklärer. Er verwirft die Religion, ein Stadium in der Entwicklung des Menschen, das es zu überwinden gilt. Er wünscht Fakten und Details über das Unbegreifliche. Als junger Arzt kommt er in die Salpêtrière und sieht dort sechstausend eingesperrte Frauen, die in einer Hölle leben; er benutzt nicht das Wort Hölle, aber er beschreibt die furchtbaren Verhältnisse, unter denen sie leben, mit Einfühlung und gespannter Neugier.

Die Worte ›gespannte Neugier‹ dürften Blanches eigene Deutung wiedergeben. Sie kannte ihn ja. *Am Ende*, schreibt sie am Schluß des Fragebuchs, *liebte er eigentlich nur die Tiere und mich.* An einen Gott glaubt er nicht. Als er Gott einmal angerufen hatte, hatte dieser nicht geantwortet, da hatte C. zur Säge gegriffen. Gottes Geist war wie Ebbe und Flut, legte frei und tötete; die Aufgabe des Menschen war es, zu trotzen.

Meinte er wirklich die Säge?

1844 zieht er in ein eigenes Zimmer in der kleinen Pension in der Rue Hautefeuille, steht jeden Morgen um halb fünf auf, wäscht sich mit kaltem Wasser, wärmt Kaffee über *der verbotenen Petroleumlampe* und geht anschließend zum Praxisdienst ins Krankenhaus. Er ist noch jung. Auf Bildern sieht er lieb aus. Bis zum Mittag arbeitet er im Krankenhaus und geht danach seinen eigenen Angaben zufolge bis zu den Vorlesungen zwischen vier und sechs zum Studium in die Bibliothek. Abendessen halb acht. Dann studiert er weiter bis Mitternacht. C. ist noch jung und hält es genau mit der Hygiene, weil er sonst nicht ein noch aus weiß.

Im Krankenhaus will er sich nicht anstecken, wie seine Mutter, *die in den liebevollen Händen eines Obduzenten starb.* Im Kindbett.

Nicht Unschuld, nicht Ironie, sondern Haß liegt in dem Wort ›liebevollen‹. Er wäscht sich oft. Bei den Obduktionen waren die Leichen nicht gekühlt, nur in Formalin eingelegt. Manchmal, wenn er auf dem Nachhauseweg vom Krankenhaus durch die Straßen ging, bildete er sich ein, daß er roch, und daß man ihn deshalb mit Abscheu betrachtete. Er ist ein junger und vollständig normaler Arzt, und sieht lieb aus. Seinen ersten Arbeitsplatz als praktizierender Arzt bekommt er in einem Frauenschloß namens Salpêtrière. Was soll er machen?

Er wäscht sich, weil die Ansteckungsgefahr erheblich ist. Er ist Aufklärer. Noch hat er nicht begonnen, die Tiere mehr zu lieben als den Menschen.

Er sagt, dem Fragebuch zufolge, zu Blanche: *Wir können dem Schmutz des Lebens nicht ausweichen.* Er scheint den Menschen als eine Maschine betrachtet zu haben. Er ist noch jung, er ist so jung, daß es als ein Fehler bezeichnet werden muß, ihn zu töten, schreibt sie sehr überraschend. *Wenn ich mir diesen jungen Wissenschaftler vorstelle, wie er auf die, die ihn sahen, gewirkt haben muß, füllt sich mein Herz mit Liebe und dem Wunsch, ihm schon damals begegnet zu sein.* Eine Seite später fügt sie hinzu, wie nach nochmaligem Nachdenken, daß es immer ein Fehler sein muß, einen Menschen zu töten, *weil es gegen das Prinzip der Heiligkeit des Lebens verstößt.* Mit neununddreißig Jahren heiratet er Augustine Durvis, eine Witwe mit einer siebenjährigen Tochter. Er hat inzwischen eine eigene Praxis mit prominenten Patienten. Bei Ausbruch des Krieges 1870 zieht die Familie nach London, aber C. bleibt im Krankenhaus, das für einige Monate Kriegskrankenhaus wird. Er hat Sympathie für die Kommunarden.

Man muß daran festhalten, daß er Aufklärer ist.

Die Hysterie faszinierte Charcot, weil er dort *eine Mischung aus Chaos und Ordnung* finden konnte, die ihm gerade als Aufklärer zusagte. In der Hysterie gab es, meinte er, ein gewisses System, einen geheimen Kode, der, wenn entschlüsselt, Anhaltspunkte für den Sinn des Lebens geben konnte: diese Mischung aus Chaos und Ordnung besaß eine fast musikalische Form, war eine Komposition aus Andante, Allegro und Adagio. Die hysterischen Krisen, die hervorzurufen ihm durch die Erfindung – oder, wie er auch meinte, die Entdeckung – der Druckpunkte am menschlichen Körper gelungen war, diese Krisen begannen mit der Aura und gingen in epileptische, klonische Konvulsionen über, danach in die *attitudes passionelles*, die die Zuschauer so in Erstaunen versetzten, und schließlich in die entspanntere und gefühlvolle Phase.

Das war der Mensch als Sinfonie. Er hatte immer Komponist werden wollen.

C. duzte seine Patienten, ganz gleich, ob sie aus einer höheren oder niedrigeren Schicht kamen. Seine Lieblingskomponisten waren Beethoven, Gluck, Mozart und Vivaldi. Er war ein guter Zeichner, geschickt als Karikaturist, und besonders faszinierten ihn Zwerge. Später war er Tierfreund und besaß eine Meerkatze mit Namen Zibidie. Es gab eine fundamentale Melancholie in seinem Wesen, die Blanche nicht versteht, wie man sagt, und die sie verzweifelt macht. Zibidie wartete jeden Abend auf ihn, wenn er nach Hause kam, er stellte mit Entzücken fest, daß sie eine eingebaute Uhr zu besitzen schien, *wie ich selbst.* Das Äffchen wurde bei Tisch gefüttert, saß im Kinderstuhl neben Charcot und wurde mit einem silbernen Löffel gefüttert. Er war ein guter Vater, liebte aber seine Meerkatze. Sie hatte eine eigene Serviette mit eingesticktem Monogramm. Wenn sie menstruierte, trug sie ein rosafarbenes Höschen aus einer Art Wachstuch. C. erklärte, viel von dem Äffchen gelernt zu haben, also über die menschliche Natur.

Das Äffchen hatte auch *nervöse Tage.*

Auf der Höhe seiner Laufbahn, und vor der katastrophalen Verliebtheit in Blanche, die seine wissenschaftliche Vernunft zunichte machte, war er der Meinung, daß Tiere letzten Endes doch besser waren als Menschen. Das Wort Desillusion kehrt mehrfach wieder. Er bekam Kinder. Nichts über sein Verhältnis zur Ehefrau. Oft wünsche ich mir, sagt er einmal zu Blanche, ich wäre Patient und nicht Arzt. Warum, hatte sie gefragt. Da hatte er sie angestarrt, nicht mit seinem üblichen, lieben Gesichtsausdruck, sondern in Wut und Verzweiflung, hatte sich aber rasch zusammengenommen und ihre Frage mit einem Scherz überspielt.

An dem Haus, das er in Neuilly kaufte, ließ er auf Französisch ein Zitat von Dante einmeißeln.

Es stammt aus der ›Hölle‹, dritter Gesang, 49. Strophe, und lautet in seiner ganzen Länge:

Le monde n'a pas gardé leur souvenir,
La miséricorde et la justice les dédaignent.
Ne parle pas d'eux, mais regarde et passe.

Ein so eigentümliches Motto.

Der dritte Gesang der ›Hölle‹ handelt von den Unentschlossenen und Lauen, den grauen Scharen derer, die im Zweifel oder aus Angst Verrat begangen haben. ›Getilgt ihr Name in der Welt, verworfen/von Gnade und Gerechtigkeit ihr Wert/ Nichts mehr davon, schau hin und geh vorbei.‹

Ist dies ein Teil von Charcots Selbstbild? Oder von seinem Hochmut gegenüber denen, die es nicht gewagt haben, neue Wege zu erschließen?

Die Gescheiterten betrachten, die nichts gewagt haben. Und sie dann zurücklassen. Das ließ er ins Portal seines Hauses einmeißeln. Es war, bevor er Blanche begegnete.

3.

Die Experimente, die Charcot – und später Blanche – durchzuführen versuchen, kann man am ehesten mit einem religiösen Ritus vergleichen. Was bedeuteten sie?

Ein Zauber, um einen Zusammenhang zu erklären?

Also diese desperaten Texte über ›das innerste Wesen‹ der Liebe. Beschreibungen der ersten Experimente im Krankenhaus, *introitus ad altar Dei*, doch was hat das mit Liebe zu tun, oder auch nur Lust. Vielleicht Macht?

Nein, nicht einmal Macht.

Man weiß nicht, warum er die Experimente für Publikum zugänglich macht.

Kein Fehler, den Schritt von der Wissenschaft in die Mystik zu tun. Er glaubte wohl, daß dort die Lösung lag, aber daß er Unterstützung brauchte. In den ersten Vorlesungen – sie wurden später alle von Sigmund ins Deutsche übertragen, leider mit einigen kritischen Anmerkungen, die Charcot seinem Jünger nie verzieh – hält er sich lange bei Paracelsus auf, und besonders bei Mesmer: als versuche er tastend, sich in eine okkulte Tradition einzuschreiben, doch mit scheinbarer, wenig kleidsamer Skepsis.

Er schreibt ›verwundert‹ über Mesmers Parisaufenthalt: Wie dieser 1778 mit seinen Flaschen mit magnetischem Wasser große Popularität erreichte, wie er die Patienten mit seinem Stock berührte und heilte, und wie er, um sich bei den Armen nicht unbeliebt zu machen, in den Armenvierteln einen Baum magnetisieren ließ, an dem sie sich selbst heilen konnten.

Sonst keine kritischen Kommentare.

Die ersten Experimente mit Frauen nennt Charcot Experimente mit Hypnotismus. Das Wort war ungefährlich. Deshalb benutzt er es. Er wählt zwei junge Frauen als Objekte aus, Augustine (der Nachname fehlt, und sie verschwindet nach diesem Experiment aus der Geschichte) und Blanche Wittman.

Assistenten sind Gilles de la Tourette, Joseph Babinski und Désiré-Magloire Bourneville, zwei von ihnen spätere Monumente in der Geschichte der Medizin. Er bezeichnet die Ausgangslage der Objekte, also der Patientinnen, als labil. Augustine hatte sich seit dem Vortag in einem trance-ähnlichen Zustand befunden, und Blanche war aggressiv, hatte gewiehert, kurze Lacher ausgestoßen und Charcot mit beinah feindlichen Augen betrachtet. Das Experiment wurde jedoch mit Blanche eingeleitet, die ein Pendel betrachten mußte und bereits nach fünf bis acht Minuten schläfrig zu werden schien, die Augen schloß und einschlief.

Sie blieb sitzen.

Augustine war auf ein Bett gelegt worden: Als Charcot für einige Sekunden ihre Augenlider hochschob, reagierte sie sofort und streckte die Beine aus; eine Bewegung, die ihr Nachthemd zur Seite gleiten ließ und ihren nackten Unterleib und das bloße Geschlecht enthüllte. Charcot gab daraufhin Bourneville die Anweisung, ihren Körper zu bedecken.

Blanche schlief jetzt. Charcot blies leicht über ihr Gesicht und sagte ihr, wenn sie aufwachte, würde sie sich wohl fühlen. Sie verblieb jedoch in einem kataleptischen Zustand. Charcot preßte daraufhin seine Hand auf Punkte an ihren Eierstöcken: dies ist also, bevor C. die Ovarienpresse erfand, die aus Metall und Leder, die benutzt wurde, um Hysterie zum Stillstand zu bringen. Sie erwachte und sah Charcot mit einem eigentümlichen Lächeln an.

»Wie fühlst du dich jetzt«, hatte Charcot gefragt.

Sie antwortete:

»Ich hätte nichts dagegen, jetzt ein Stück Brioche zu essen.«

Das war ein Hefegebäck. Die vier Ärzte hatten sie mit Bestürzung betrachtet.

»Brioche«, wiederholte sie und fixierte Charcot ununterbrochen, der daraufhin den Blick abwandte, als sei er beschämt oder habe Angst. Mit gedämpfter Stimme wies er seinen Assistenten Babinski, der später weltberühmt werden sollte als derjenige, der gewisse Nervenreflexe, beispielsweise bei der Diagnose von Syphilis, definieren sollte, *Babinskis Reflex*, er wies also diesen Babinski an, das Hefegebäck zu holen.

»Was soll das nützen?« hatte Babinski gefragt.

Charcot hatte nicht geantwortet. Man holte das Gebäck. Babinski wiederholte seine Frage, jetzt lauter, wie im Zorn.

Das war das erste Experiment.

Charcots Assistenten waren verblüfft und empört über die sonderbare Untergebenheit, die er Blanche gegenüber plötzlich an den Tag gelegt hatte. Sie hatte ruhig das Gebäck gegessen und Charcot gespannt betrachtet, als existierten die anderen nicht.

Genauso wurde das Experiment protokolliert. Doch die Alarmglocken hätten läuten sollen!

4.

Den Tod stellte er sich, am Ende, wie eine Leere vor, in der es Blanche nicht gab. Und es wäre sein eigener Fehler.

In der letzten Nacht, im August 1893, hatte er Angst gehabt. Wenn man plötzlich glaubt, daß das, was man getan hat, auf Sand gebaut ist, dann wird das Dunkel entsetzlich. Wenn es, in diesem Dunkel, Blanche nicht gab, weil es sie nie gegeben hatte, weil er nie gewagt hatte, den Schritt zu tun, dann war es schlimm.

Er gleicht seiner Statue nicht. Nicht einmal in eingeschmolzenem Zustand. Es wäre besser, sich ihn als ein erschrecktes Kind vorzustellen, das mit steinernem Gesicht, und mit aller Macht in seiner Hand, doch ohne zu wissen, wie es sie gebrauchen kann, inmitten eines Meeres von kochenden Leidenschaften steht und behauptet, die Leidenschaften zu registrieren und sie vermittels Druckpunkten am menschlichen Körper zu lenken!

So fing ja das zwanzigste Jahrhundert an. Wie hätte es sonst auch weitergehen und enden können, wie es später der Fall war.

Blanche hatte Angst, ihn zu verlassen.

Er würde dann in seiner Einsamkeit mit der Meerkatze Zibidie verloren sein.

Dann und wann kleine diskrete Andeutungen über Blanches wachsenden Ruhm.

Sie ist ja demütig. Will nicht hochmütig erscheinen. Doch Andeutungen über zunehmende öffentliche Kritik an ihm. Am Ende sein eigenes Eingeständnis in Morvan. *Meine Experimente jetzt in einer Sackgasse.*

Am 17. September 1883 empfing Charcot eine Gruppe junger russischer Medizinstudenten, die aus Semione Minor, Olga Tolstoj, Piotr Ivanov und Felicia Cheftel bestand. Sie sprachen Französisch und waren – wie man mit einem modernen Wort sagen könnte – Feministen. Sie waren sehr freundlich. Sie warfen Charcot und der Krankenhausleitung vor, die ›gefangenen Frauen‹ grausam zu behandeln, und fragten unumwunden nach dem Wahrheitsgehalt von Berichten, die sie in Sankt Petersburg erreicht hatten, denen zufolge man in der Salpêtrière ›*bei hysterischen Krisen von Frauen altertümliche zaristische Methoden anwandte, beispielsweise die Methode, bei Hysterieanfällen die Gebärmutterhalspartie zu massieren, so daß verfestigte oder verklumpte Samenflüssigkeit sich lösen und abfließen konnte, und daß dies also die Patientin beruhigen könne*‹.

Charcot hatte ihnen jedoch versichert, daß solche Methoden nur in besonderen Fällen zur Anwendung kamen. Das Gespräch mit den russischen – allerdings Französisch sprechenden – Studenten hatte im übrigen den Versuchen gegolten, mit Tollwut infizierte russische Bauern am Pasteur-Institut zu heilen, sowie *dem Vorkommen von Hysterikerinnen und Nymphomaninnen in der modernen Romanliteratur.* Die russischen Studenten waren verwundert, und schockiert, über Charcots Freundlichkeit und Charme und hatten auch darum gebeten, einen kurzen Augenblick mit Charcots berühmtem Medium Blanche Wittman sprechen zu dürfen, was Charcot unter Zögern akzeptierte, während das Medium sich weigerte, diesem Wunsch zu entsprechen.

Charcot hatte sich daraufhin gefügt. Kein Gespräch mit Blanche.

Der kontinuierliche Strom gerade russischer Medizinstudenten, die Charcot aufsuchen, ist auffallend. Erst 1886 werden diese von einem ganz neuen und modernistischen Typ von jungen Menschen abgelöst, als der dreißigjährige Sigmund Freud sich Charcot anschließt, zunächst als Sekretär und später als Interpret und Verbreiter von Charcots theoretischen Ansätzen und Ideen.

Die erste Begegnung zwischen Freud und Charcot verlief sehr positiv.

Gewisse Einzelheiten in Freuds Beschreibung des Meisters zeigen jedoch, wie verwundert Sigmund ist. Charcot grüßte seine Assistenten mit drei ausgestreckten Fingern und seine Unterärzte mit zweien. Sigmund stellt fest, daß es keine starren Hierarchien gibt, was die Salpêtrière von den Krankenhäusern in Berlin und Wien unterschied. Er erwähnt außerdem Charcots ›demokratische Prinzipien‹.

Sigmund F. mochte die Freitagvorführungen, die er höchst faszinierend fand, eigentlich nie. Er mißtraute den Frauen. Er fand es verabscheuungswürdig, daß sie gezwungen waren zu schweigen, und angehalten waren, sich ausschließlich durch ihre Anfälle auszudrücken. Ansonsten nur Bewunderung. Er wird sogleich neugierig auf Blanche, versucht Gespräche mit ihr anzuknüpfen, vielleicht mit sexuellen Absichten, hat aber kein Glück.

Sie verabscheute ihn, schreibt sie im Fragebuch. Sie meint, es seien ihre eigenen, und in gewissem Maße Charcots Einsichten in die menschliche Natur, den inneren Kontinent des Menschen, sowie die Natur der Liebe, die bahnbrechend gewesen seien, und daß Sigmund nur ein unwissender, aber empfänglicher Jünger gewesen sei. Man bemerkt ihren Hochmut, auch wenn sie recht haben kann. Aber sie haßte Sigmund, wie später Babinski.

Babinski haßte sie besonders intensiv, seine Feigheit, seine Furcht vor dem Unbekannten. Seine Dolchstöße in die Rücken derer, die sich trauten. Er hatte versucht, ihre Brust zu berühren, da hatte sie seine Hand in ihre genommen, und zugebissen.

Er hatte überrascht aufgeschrieen, und sie hatte mit ihrem üblichen sanften gutmütigen Lächeln gesagt:

»Tollwut, angesteckt bei den russischen Bauern.«

Er hatte es nie wieder versucht.

Die Verräter, wie sie sie nennt. Das Fragebuch ist, so gesehen, ein Racheakt, und eine postume Verteidigungsrede für Charcot, sein Leben und sein Werk, bevor *er in die Sackgasse der Liebe geriet, und von mir getötet wurde.*

5.

So steht es auf einer der letzten Seiten des gelben Buchs.

Man kann sich vorstellen, daß sie schon da auf dem Weg in Marie Curies Leben war, wie eine angsterfüllte Mutter, deren Kind bedroht ist. Ein Kind, das im Begriff steht, ihre eigenen Fehler zu wiederholen, was das Schlimmste ist: als habe sie *die Katastrophen in das Leben des Kindes hineingeboren.*

Sei verantwortlich geworden und fühle sich schuldig, und wäre deshalb jetzt in Angst und Sorge auf dem Weg hinaus aus ihrer eigenen Erzählung, und hinein in Maries.

Das Kind! Das Kind!

Im März 1910, dem Jahr bevor Marie Curie ihr zweiter Nobelpreis zuerkannt wurde, der in Chemie, war Marie in ihr Zimmer gekommen, hatte sich auf ihre Bettkante gesetzt und gefragt, was sie tun solle.

»Wie heißt er?« hatte Blanche gefragt.

»Paul. Ich bin stark und er ist schwach, aber ich liebe ihn, er muß vor sich selbst gerettet werden.«

Blanche hatte Marie lange schweigend betrachtet. Dann:

»Vor sich selbst gerettet? Wie Charcot? Dann wird mir angst.«

Ihre Stimme hatte eigentümlich heiser und guttural geklungen, wie ein Notruf.

Oder, aus dem Fragebuch, nach der Frageüberschrift **Wann endete Maries durch die Trauer verursachte Geisteskrankheit?** die trockenere Aufzeichnung: *Die Angst, von der Marie erfüllt war, war jedoch nicht so groß wie die Freude, die diese Liebe ihr eingab, und ich ermahnte sie inständig, ihre Liebe offen zu zeigen, und vor allen, nicht nur vor mir. Sie kleidete sich deshalb, auf meine eindringliche Aufforderung hin, in Kleider, die von ihrer Trauerkleidung abwichen, und sehr bald begannen ihre Freunde zu ahnen, daß etwas geschehen war.*

Und dann ging's los.

›Wie Charcot.‹ Und da wurde ihr angst. Sie wußte vielleicht, was geschehen würde, und sie liebte Marie.

Aber ihr wurde angst.

Die letzten Seiten im gelben Buch leer. Dann das schwarze Buch, erregender, und gewisse Seiten herausgerissen, wie in Panik, oder Angst.

Das schwarze Buch

V

Der Gesang von der Eifersucht

1.

Ständig dieses: *Marie! Marie! War das wirklich notwendig?*

Welch eigentümliches Wort: notwendig. Als ob nur das Notwendige.

Überhaupt nicht.

Im Fragebuch mehrere Fragmente über kurze, scheinbar bedeutungslose Begegnungen zwischen Paul und Marie, von Blanche offenbar nachlässig oder in Eile hingeworfen.

Paul hatte Marie nach Pierres Tod seinen Nachruf auf ihn gezeigt und gefragt, was sie dazu meinte.

»Sehr schön«, hatte sie gesagt. »Wird ihm gerecht. Sehr schön.«

»Ich habe mir Mühe gegeben.«

Sie war da zusammengezuckt, wie bei einer Kränkung oder einem zurückgehaltenen, doch verborgenen Vorbehalt, und hatte gefragt:

»Mühe gegeben?«

»Deinetwegen«, hatte er gesagt, und hastig hinzugefügt: »Seinetwegen.«

»Danke.«

Alle diese kurzen Gespräche zwischen Marie und Paul, und dazwischen dieses angsterfüllte Schweigen!

2.

Warum ist gerade das schwarze Buch zerfleddert?

In diesem Buch viel über den Auftakt zu Maries Katastrophe. Aber über Charcot fast nichts außer einem auf absurde Weise selbstbewußten Satz. *Marie*, schreibt Blanche, *hätte vielleicht nie überlebt, wenn nicht ich, mit meinen Erfahrungen aus der Salpêtrière und Doktor Charcots Unterweisung, wenn nicht ich in Freundschaft ihr Lebensmut geschenkt und sie damit vor dem inneren Erfrieren gerettet hätte, und vor der wissenschaftlichen Strenge, die im Begriff war, sie und ihren Verstand zu töten.*

Wissenschaftliche Strenge!?

Blanche will sich wohl verteidigen. Und ihrem entsetzlichen Leben einen Sinn geben. Kein Wunder.

Wir wollen doch alle, daß es zusammenhängt.

Man muß sich vorstellen, wie das Leben einer Wissenschaftlerin in dieser frühen Phase des *phantastischen und wissenschaftlich epochemachenden* zwanzigsten Jahrhunderts aussah.

Welch ein Selbstbewußtsein, übrigens. Wann verschwand das Selbstbewußtsein des zwanzigsten Jahrhunderts, der Fortschrittsoptimismus, die Arroganz? Als die Katastrophe für Marie ihren Höhepunkt erreichte, begann, glücklicherweise!, der Erste Weltkrieg, und sie ging als freiwillige Röntgenärztin hinaus, um auf diese Weise die zerfetzten Körper des zwanzigsten Jahrhunderts zu durchleuchten. War es irgendwann da, ungefähr 1914, daß die Arroganz des zwanzigsten Jahrhunderts endete?

Von Marie Curie poetisch gestaltet in ihrem Röntgenbus.

Aber vorher, als weiblicher Star der Wissenschaft zu leben! Dieser Haß! Auf einer hell ausgeleuchteten Bühne! Und umgeben von den feindlichen wilden Tieren!

Und wie der Wahnsinn explodierte, als dieser weibliche Stern am wissenschaftlichen Himmel, die Frau, die einen Nobelpreis bekommen hatte und bald einen weiteren bekommen sollte, sich in einen verheirateten Mann mit vier Kindern verliebte und nicht bereit war, diese Liebe aufzugeben! Die Todsünde!

Marie, Maria. Bald geht's los.

Blanche zeichnet im schwarzen Buch einen Traum auf, den Marie gehabt hat.

Marie geht im Schnee, über eine Ebene, später eine Eisfläche, vielleicht eine arktische Eisfläche, gelangt zu einem Eisgrab, jemand ist dort begraben, das Schmelzwasser ist über das Gesicht gelaufen und dann wieder gefroren, eine dünne Eisschicht bedeckt die Gesichtszüge des toten Mannes, Marie schlägt im Traum in Verwunderung oder Freude die Hände zusammen, ruft:

»Aber Blanche! Das bin ja ich!«

Unzählige Zeugnisse belegen den Haß auf erfolgreiche Frauen, besonders den Haß auf *die Wissenschaftlerin.* Auch diejenigen, die Marie schätzten und liebten, nahmen an, daß die Kälte die Voraussetzung für ihr Genie war.

Ohne Kälte kein Genie.

Im Juni 1913, als alles fast vorbei ist und Marie überlebt hat, wenngleich verfroren, bevor der befreiende Erste Weltkrieg ausbricht und sie in den Sanitätswagen rettet, macht sie mit Albert Einstein in der Nähe des Engadins in der Schweiz eine Fußwanderung. Er schreibt an einen Cousin: ›*Madame Curie ist sehr intelligent, doch sie ist kalt wie ein Fisch, was bedeutet, daß es ihr schwerfällt, Freude und Trauer zu zeigen, meistens drückt sie ihre Gefühle durch ein Grunzen aus.*‹

Wen hatte sie in dem Eisgrab gesehen?

Marie hatte gesagt, der Geliebte Paul sei zu ihr hingezogen worden ›wie zu einem Licht‹ – sah sie ihn als eine Motte, oder einen Vogel, oder einen Menschen in einem dunklen Wald? Was war das für ein Licht, das von ihr ausstrahlte?

Dieser blaue Schein?

Kalt wie ein Fisch. Licht in einem Wald. Ein Mann in einem Eisgrab, überzogen von einer Eisschicht.

Marie hatte viele Gesichter.

Unerwartete und eigentlich gänzlich unnötige Besuche von Paul in Maries Laboratorium.

Kommt mit einer Teekanne im Korb. *Aber Paul! Wie nett!*

Steht dicht bei ihr, als er eingießt. Er hat so schöne Hände, sieht sie plötzlich. In der Nacht erwacht sie aus einem erregten Traum, schwitzt am ganzen Körper, die Laken feucht. Sie kann nicht mehr einschlafen. Im Traum hatten die Hände sie berührt. *Ich bin einundvierzig Jahre alt, ich bin noch jung,* versucht sie zu denken. Es bleibt stumm. Es setzt sich nicht. Ist es zu spät?

Flüstert vorsichtig ins Dunkel:

»Blanche?«

Keine Antwort. Im Zimmer nebenan die schlafenden Kinder, *und die bedeuten alles.*

»Blanche? Schläfst du?«

Marie hatte doch alles. Ehre, Ruhm, Kinder, einflußreiche Freunde. Warum dann Liebe?

Aber diese langsam pulsierende Erinnerung! Das Jucken! Die Mattigkeit im Unterleib! Und nicht auf irgend jemanden gerichtet, nur diese *anonyme Hitze!* Es sind Blanches Worte, die von der anonymen Hitze. Aber sie muß sie gehört haben. Diese Lust, der die Richtung fehlt! wie der Kompaß am Nordpol! der sich dreht und dreht, wenn es doch nur eine Richtung gäbe!

Und da plötzlich.

3.

Das erste Mal, daß Marie ihn berührte, war am Abend des 4. März 1910 gegen zweiundzwanzig Uhr.

Es war an einem Punkt dicht neben dem Arbeitstisch im Vorratsraum in der Rue Lhomond, wo zehn Jahre zuvor die erste Entdeckung von Polonium und Radium stattgefunden hatte und wo einmal Experimente mit einer piezoelektrischen Quarzkristallwaage durchgeführt worden waren, als Pierre noch lebte. Der Platz, an dem sich alles veränderte, war ein vielleicht einen Meter links vom Tisch gelegener Punkt, aber der Platz verlagerte sich dann zu dem Tisch, so daß Glaskolben zersplitterten. Genau da war der Platz, pflegte sie zu denken, *ich merkte mir den Platz mit einer zu nichts verpflichtenden Genauigkeit, als wäre ich auch da Wissenschaftlerin gewesen und nicht eine liebende Frau.*

Später allerdings sah sie diesen Tisch mit anderen Augen.

Halte fest: Maries Worte über den Punkt. Sie weiß: Es gibt immer einen Punkt, von dem aus die Landschaft der Erzählung überblickt werden kann. Wird dieser Punkt nicht wiedergefunden, hört die Geschichte auf.

Deshalb Blanches drei Bücher: Der Kompaß dreht sich, gäbe es doch nur einen festen Punkt für den Hebel der Liebe!

Damit das Gleichgewicht der Welt ausgehebelt werden könnte.

Im nachhinein sieht man alles mit anderen Augen. Tische verändern sich und werden zu heiligen Orten. Noch ein paar Jahre später sind sie so schmerzerfüllte Orte, daß man sie nicht besuchen kann.

Sie hatte ja keine Absicht, *es war ein Zufall, daß Paul und ich uns an diesem schicksalsträchtigen* – sie hätte das Wort ›Zufall‹ nicht benutzen sollen, dieses aufreizende Kleid war kein Zufall, warum sonst die Erregung, das Herzklopfen –, *an diesem schicksalsträchtigen Tag begegneten, als ich zum ersten Mal dazu getrieben wurde, meine weibliche Scheu zu überwinden und er* – ja, was überwand er?

Sie hatte im Raum gestanden und er hatte am Tisch gestanden, es war zehn Uhr am Abend. Vielleicht teilten sie einen Augenblick lang ihr Dunkel miteinander, und wurden überwältigt, so daß dieses Licht entstand. Und so sollte er sie tragen, *wie der Grubenarbeiter seine Stirnlampe trägt.*

Wie lange sie ihn schon kannte!

Es war etwas mit den Augen! seinen Augen! Manchmal waren sie wie tot und erloschen, und sie wußte, fast sicher, daß daran seine unglückliche Ehe schuld war, und all diese furchtbaren Szenen, von denen sie schon lange gewußt hatte: Dann waren seine Augen vollkommen erloschen und tot.

Und sie kannte das.

Sie wußte, daß sie selbst zuweilen, zuweilen! diesen toten Blick gehabt hatte, als wäre das Gesicht mit einer Eisschicht überzogen! Doch dann veränderten sich Pauls Augen, er wurde wie ein Kind und ängstlich wie ein Kind, er sah sie da mit diesen ganz anderen Augen an, als wäre er ein vollkommen lebendiger Mensch.

Plötzlich hatte sie ihn gesehen, wie er da im Raum stand.

Der Punkt! von dem aus die Geschichte betrachtet wurde und wirklich wurde! einen Meter von dem Tisch entfernt, an dem sie einst! als Pierre noch lebte! den geheimnisvollen Stoff entdeckt hatte, der! und das blaue radioaktive Licht! war denn dies nicht der richtige Punkt, um die Angst zu überwinden!

Da hatte sie gesagt, es war um zehn Uhr am Abend, sie erzählte dies später, als sei Blanches Buch ein wissenschaftliches Journal, in ihrem Laboratorium war es, neben dem Tisch mit den Glasretorten, da hatte sie gesagt:

»Paul, bin ich wirklich ein lebendiger Mensch?«

Wie lange hatte sie ihn gekannt, fünfzehn Jahre?

Immer klebte Familie an ihm, oder er war von Freunden umgeben, immer hatte er ihr zugelächelt und nichts war gesagt worden, was war es, das sich langsam eingeschlichen hatte? Die Verlockung des ganz und gar Verbotenen? oder die Ahnung von einem Menschen, der vielleicht vollkommen einzigartig und warm war und sich nach ihr sehnte, fast so, wie sie wußte, daß sie selbst sich die ganze Zeit gesehnt hatte, und da brach die Kontrolle zusammen, *Paul, bin ich ein lebendiger Mensch?* so platt, was bedeuteten die Worte, daß sie tot war, wie ein Fisch?

Sie hatte vielleicht zwei Meter von ihm entfernt gestanden, und er hatte an dem Punkt gestanden. Und dennoch mußte er verstanden haben.

Was macht, daß Menschen zuweilen plötzlich verstehen, *wie sollen die Lebenden zu den Lebenden sprechen, welche Worte kann ich richten an dich, den ich liebe, außer den ständig abgleitenden Messern des Schweigens und der Fragen, während das, was zu sagen war, unausgesprochen noch immer am Strand liegt, einer Schnecke gleich;* nein, das Gedicht war noch nicht geschrieben, so hatte sie nicht gesprochen, und gedacht, es war einfach gekommen. Dies war der Augenblick, das würde sie später wissen, ihr ganzes Leben lang.

Er hatte sie nur angesehen, nicht geantwortet.

»Paul«, hatte sie gesagt, »ich habe solche Angst, manchmal glaube ich, daß ich tot bin.«

»Was meinst du?«

Sie konnte es ja nicht erklären, war nur näher getreten, ganz dicht an ihn heran.

»Ich weiß nicht, was ich meine«, hatte sie gesagt.

An den Raum in jener Nacht würde sie sich ja immer erinnern. Den Tisch. Fast kein Licht im Raum. Nur dieses warme Dunkel, das lebendig war und sie dazu brachte, sich einer Grenze zu nähern, die so verlockend und deutlich war, daß sie sie fast mit ihrer Hand hätte berühren können.

Sie hatte ihn berührt.

»Das ist gefährlich«, hatte er gesagt.

»Ich weiß.«

»Es ist gefährlich«, hatte er wiederholt.

»Das macht keinen Unterschied«, hatte sie geantwortet. »Das macht keinen Unterschied.«

Und dann hatte sie ihn von neuem berührt. In diesem Dämmerlicht.

Das Licht war nicht dem ähnlich gewesen, das vom Radium ausgestrahlt wird, nein, das Licht hatte ein warmes Dunkel ausgestrahlt, das es möglich gemacht hatte, vorzugehen bis zu dem *Punkt, an dem er sich befand und an dem es möglich war, sein Leben zu überblicken*. Es war warm und nicht todbringend, wenngleich erfüllt von Angst und Lust, und plötzlich gab es kein Zurück mehr.

Er küßte sie, sie wurde gegen den Tisch gepreßt, machte eine Armbewegung.

Sie hörte das Geräusch von splitterndem Glas.

Mit einer einzigen ausholenden Handbewegung hatte sie den Tisch frei gemacht, seine Augen nicht mehr wie die eines Kindes und nicht mehr tot, nein, jetzt war es, als wären sie die Augen eines durch und durch lebendigen Menschen, *Paul*, hatte sie geflüstert und gewußt, daß dies der Augenblick war, *Paul, es ist nicht gefährlich*, und er hatte ihren Rock zur Seite geschlagen und sie auf den Tisch gehoben, an dem einmal jemand, nein, sie war es! allein! zum ersten Mal Radium gemessen hatte, und an dem Entdeckungen gemacht worden waren, die die Geschichte verändern sollten. Jetzt war sie einer anderen Entdeckung sehr nahe, war entschlossen und warm. Seine Augen hatten die angststarre Verteidigung aufgegeben, die sie zu sehen gemeint hatte, sie wußte, daß er sie sehr liebte, vielleicht über eine Grenze hinaus, die er bis dahin nicht zu überschreiten gewagt hatte, alles war sehr warm und dunkel und sie wußte auf einmal, daß sein Dunkel und ihres miteinander verschmolzen. Sie hatte nur gesagt *oh langsam! vorsichtig!* Und er war langsam in sie eingedrungen.

Noch Glasscherben auf dem Tisch. Es tat nicht weh.

Sie kam fast augenblicklich, in weichen, rhythmischen Stößen, und hatte keine Angst zu kommen, und da verstand sie, daß auch er die letzte Grenze der Angst hinter sich gelassen hatte, und auch er kam in ihr, die er seit fast fünfzehn Jahren begehrt hatte, Tag und Nacht begehrt, diese Marie, die das Verbotenste gewesen war, das Tödlichste und Begehrteste. Es war sie, die ihre Hand erhoben und seine Wange berührt hatte, und ihre Hand gesenkt und sein Geschlecht berührt hatte, das so hart war, wie sein Geschlecht in seinen Träumen gewesen war, seit er sie zum ersten Mal gesehen hatte. Aber nicht bekommen hatte, es nicht gewagt hatte, Marie, diese Verbotenste und deshalb tödlich Bedrohliche, die er geliebt hatte, aber die ganze Zeit gewußt hatte, daß *derjenige, der an Marie rührte, an den Tod rührte,* und von der deshalb diese wahnsinnige Verlockung ausging.

So hatte es angefangen.

Hinterher hatte er sie auf den Fußboden gelegt, und an ihrer Seite gesessen, und beide hatten gewußt, daß es unausweichlich war.

»Geht es jetzt los?« hatte sie gefragt.

Warum hatte sie das gefragt? Er hatte nicht geantwortet.

Gegen ein Uhr in der Nacht war Marie in ihre Wohnung zurückgekehrt, in Blanches Zimmer gegangen, hatte sie geweckt und alles erzählt.

Sie hatte Blutflecken auf dem Rücken, weil Glasscherben vom Tisch in ihn eingedrungen waren. Sie zog ihr Kleid aus und warf es in eine Ecke. Die Schnittwunden waren unbedeutend, Blanche tupfte sie mit Alkohol ab. Marie war sehr ruhig.

»Wer ist er eigentlich?« hatte Blanche gefragt, obwohl sie ja wußte, wer er war, aber nicht auf diese Weise.

»Das muß die Zukunft erweisen«, hatte Marie geantwortet.

Blanche war ihre unerhörte Ruhe aufgefallen.

»Das muß die Zukunft erweisen«, hatte Marie wiederholt, aber ihr Gesicht war so ruhig gewesen, daß niemand hätte hören oder verstehen können, daß die Worte etwas anderes bedeuteten. Sie hatte fast ihr ganzes Leben darauf gewartet, sie auszusprechen: nichts von Angst oder Grenzen, nichts von dem Verbotensten oder dieser tödlichen Verlockung, etwas viel Einfacheres und Angsteinflößenderes: *Marie! Marie! Jetzt geht's los!*

4.

Wer war er denn?

Man könnte vielleicht nicht die Wahrheit, aber die *allgemeine Meinung* in Paris über ihn und über seine und Maries Situation zusammenfassen, also beispielsweise die im Herbst 1910, und ganz ohne Übertreibungen und als korrekte Zusammenfassung dessen, was in der Öffentlichkeit geschrieben wurde, sagen, daß er Paul Langevin hieß, ein ehrenwerter französischer Forscher und Vater von vier Kindern war, dessen Ehe und glückliche französische Familie von einer ausländischen Frau mit dem Mädchennamen Słodowska zerstört wurde, einer Frau von vielleicht jüdischer Abstammung! jüdischer! was als ein weiterer Angriff auf *das Französische* nach der nationalen und tragischen Niederlage gegen den Juden Dreyfus und dem Sieg für die Beschützer des Juden Dreyfus betrachtet werden mußte!

Ja, sie war bestimmt Jüdin! Warum sonst der zweite Vorname Salomea?

Eine ausländische, vielleicht jüdische Frau, die, falls dies zutraf, ihre jüdische Abstammung verbarg und leugnete, und vielleicht im Grunde *eine auf dem Gebiet der Moral ebenso schuldige Person war wie Dreyfus auf dem militärischen Gebiet!!!* wie eine Zeitung später feststellen sollte, und wie jener mit Sicherheit schuldig.

Aber auf jeden Fall Polin war.

Und ganz klar war diese ausländische Skłodowska, die sich durch Heirat den französischen Namen Curie erworben hatte, ganz klar war sie nicht nur Frau, sondern auch eine blasphemische Intellektuelle mit Kontakten zu emanzipierten Kreisen, zum Beispiel solchen in England! den berüchtigten Suffragetten! mit denen sie verkehrt hatte; eine Frau, die sich, als ihr skandalöses Verhalten enthüllt wurde, vor der Öffentlichkeit zu verbergen versuchte, die jetzt jedoch in der Presse, in der Öffentlichkeit ans Licht gezwungen wurde und zu der öffentlichen Schande, die sie verdiente, später zum Beispiel im Zusammenhang mit ›der skandalösen Vergabe auch noch eines zweiten Nobelpreises an sie‹, eines Preises, den sie nicht verdient hatte, und der auf seine Weise ihre Affäre mit diesem im Grunde unschuldigen Paul Langevin beendete.

Ungefähr so.

Wer war er denn?

1907 leistete Paul seinen größten und einzigartigsten Beitrag zur Physik: Es war seine Anwendung der Elektronentheorie auf das Phänomen Magnetismus; im Grunde war es eine Erklärung zu den Magnetismusexperimenten, die Pierre Curie 1895 durchgeführt hatte.

Er war ein Zusammenführer von Thomsons und Curies Versuchen, sie erhielten eine Erklärung, er gehörte zu dem Menschentyp, der einen Zusammenhang erkennen, doch nie selbst die Wurzel des Unerklärlichen finden konnte; deshalb war Marie seinetwegen immer verzweifelt. Er führte getrennte Kreise zusammen, wurde aber geringgeschätzt, weil er nie etwas Einzigartiges schaffen, keinen einzigartigen Zusammenhang herstellen konnte.

Paul, pflegte Marie weinend zu ihren Freunden zu sagen, *bekommt nie die Anerkennung, die er verdient, er ist ein Zusammenführer.*

Selbst gab er sich ohne Tränen mit seinem Los zufrieden.

Er wurde auf jeden Fall mit der Zeit sehr anerkannt.

Während des Ersten Weltkriegs hatten Paul Langevins Arbeiten mit dem *Phänomen Piezoelektrizität*, um Schallwellen mit hoher Frequenz hervorzurufen, es ermöglicht, mit Sonar und Echolot feindliche U-Boote zu orten, und stellten deshalb auf ihre Weise einen bedeutungsvollen Kriegseinsatz dar. Er traute sich nicht zu, lieben zu können, war aber von einer Krankheit mit Namen Marie Curie befallen, die, wie er wußte, nie geheilt werden würde. Schon 1895 war er jedoch zusammen mit Ernest Rutherford Forschungsdoktorand am Cavendish-Laboratorium gewesen; dieser Rutherford geht eines Nachts 1903 in einem Pariser Garten drei Schritte hinter Marie und Paul, als eine Röhre, die zur Hälfte mit Zinksulfid überzogen ist und eine Radiumlösung enthält, stark in der Dunkelheit leuchtet und Marie sich zu Paul umwendet und sieht, daß seine Augen leben, *es war das großartige Finale eines unvergeßlichen Tages.*

Aber er hatte Marie ja weitaus früher gesehen.

Pierre Curie war schon 1888 Paul Langevins Lehrer an der Ècole de physique et chimie, Paul war zu diesem Zeitpunkt siebzehn Jahre alt. Er begegnet Marie kurz nach Pierres und Maries Hochzeit 1895. Er bewundert seinen Lehrer Pierre. Er ist demütig, Pierre hat alles erreicht, Pierres einzigartiger Besitz ist auch der heilige Gral in Gestalt von Maries Körper. Sie ist der heilige Gral.

Wer an den heiligen Gral rührt, muß sterben, er weiß das, es ist das Geheimnis und die innerste Triebkraft der Liebe.

Er ist davon überzeugt, daß die Aufklärungsphilosophen recht haben darin, daß allein der Mensch das Privileg der Suche nach dem Glück genießt, aber da Marie für ihn das einzige denkbare Glück und die Suche danach ihm verboten ist, fällt diese Theorie in sich zusammen. Er beginnt, an sie als an ›die Unausweichlichkeit der menschlichen Tragödie‹ zu denken. Das macht es nicht leichter. Er betrachtet die Ehefrau seines Lehrers als Sinnbild für die Unmöglichkeit der Liebe. Dann wird Paul Maries Kollege, das ist später, die Jahre vergehen. Dicht neben ihm ist sie. Das Unmögliche verfolgt ihn.

Er schrumpft, findet er.

So quälend, wie nah sie ist. Das Unerreichbare sollte sich nicht in so großer Nähe befinden, daß es berührt werden kann. Marie bewegt sich dicht neben ihm, aber in unendlichem Abstand. Je mehr seine Bewunderung für Pierre zunimmt, desto mehr wächst auch etwas anderes, ist es der Abstand? ist es nur die Sehnsucht nach dem Gral? oder Haß?

Er spricht zu Marie, erst mit Ehrfurcht, dann kameradschaftlich nah, dann fast im Zorn. *Marie, Maria, wo geht's hin, so schön, so unmöglich zu berühren, so weich.*

›Paul ist ein seltsamer Kernphysiker, er glaubt an Ionen wie an eine Religion!‹ sagt sein Lehrer Pierre nachsichtig; muß man diese Nachsicht nicht hassen, diese Freundlichkeit? Paul ist auch Republikaner, kritisch gegenüber dem französischen Ausbildungssystem, haßt Hierarchien, er unterschrieb 1898 Zolas Petition zugunsten von Dreyfus, das macht den Sturm in der Presse im Zusammenhang mit dem Curie-Skandal unklarer.

Paul hatte vielleicht seine Ausländerin verdient? *seine vielleicht Jüdin?* Vielleicht mußte es so kommen?

Einmal im Herbst 1901 legt sie ihre Hand auf seine. Noch einmal im März 1903. Und lächelt!

Es ist noch zu Pierres Lebzeiten, ein kameradschaftliches Lächeln. Paul wird unerhört erregt, stellt sich lange diese Hand vor, wie sie seinen nackten Körper berührt.

Ihre Hand! Sie ist ja entstellt! Doch über die Strahlenschäden an dieser Hand sieht er hinweg. Die Hand ist stellvertretend für ihren Körper: diesen weißen, fülligen, vollständig unerreichbaren Körper. Sich ein einziges Mal im Leben in diesen Körper entleeren zu dürfen, der Eigentum, Eigentum! seines bewunderten Lehrers und Vorbilds ist. Marie, Maria, wohin geht's.

Was ist die chemische Formel für Begierde?

Und warum existiert kein Archivmeter der Liebe, warum verändert sich die Liebe ständig, ganz anders als der Archivmeter, dieser zehnmillionste Teil des Erdmeridianquadranten, warum kein Atomgewicht für Begierde, festgelegt, preisgekrönt, für alle, für alle Zeit, für allzeit?

Halbe Seite im schwarzen Buch. Zerrissen. Frage: **Warum wie Brenneisen in ein Tier?**

Angefangene Antwort: *Marie hatte Paul einmal scherzhaft, als er zu Besuch gewesen war, zum Tanz in der Küche aufgefordert, und sich für einige Augenblicke so dicht an ihn gepreßt, obwohl sie gerade ihre Menstruation hatte, daß er*

Der Rest ist fortgerissen. Hatte sie ihn provoziert? Wußte sie, daß er diese Sekunden in schlaflosen Nächten wiedererleben würde, wie in einer Ewigkeit der Sexualität, als wäre er für immer gezeichnet, *wie Brenneisen in ein Tier.*

Warum die Erwähnung der Menstruation?

Als Pierre Curie starb, war Paul Langevin derjenige, der den besten und verständnisvollsten Nachruf schrieb. Marie mochte den Nachruf sehr. Paul war derjenige, der verstanden hatte.

Paul *hatte sich Mühe gegeben.*

Er versuchte Marie zu deuten. Er fand, daß sie viele Gesichter hatte. Marie verkehrte, *ungekünstelt*, mit Paul und seiner Ehefrau Jeanne Langevin, und ihren vier Kindern. Marie ist besorgt, als Jeanne sich über die brüske Art ihres Mannes beklagt. Sie ist aufgebracht!, als sie erfährt, daß Jeanne eine Flasche auf dem Kopf ihres Mannes zerschlagen hat. Sie erwähnt ›schreckliche Auftritte‹ zwischen den Eheleuten. Doch nichts davon deutet darauf hin, daß eine Liebe dabei ist, Maries Leben zu zerstören, sie macht sich Sorgen um ihn, er spielt scheinbar keine wichtige Rolle.

Aber das Geräusch der tickenden Bombe der Liebe? Nichts dergleichen?

Vielleicht. In Blanches Fragebuch jedoch nur verstreute und kuriose Bemerkungen über Paul bis zum Frühjahr 1910, nur unsichere Notizen – (die Menstruation!) – deuten an, daß er eine Rolle spielen wird.

Er ruht geborgen und schmerzlos wie eine Krebsgeschwulst der Liebe in ihrem Leben.

Blanche wartet auch auf ihre Zeit. Sie wird kommen.

Blanche erzählt im Fragebuch von langen nächtlichen Gesprächen zwischen ihr und Marie, aber die Gespräche drehen sich nur um die Salpêtrière, die Frauen dort, die Ärzte. Marie scheint angesichts dessen, was Blanche erzählt, immer mehr von Faszination ergriffen worden zu sein. Sie will mehr wissen, über die Experimente, über die Übergriffe, über die Fluchten.

Woran denkt sie?

Aber was Paul dachte, weiß niemand. Seine Ehefrau Jeanne hörte ihn im Dunkeln atmen, er schlief nicht, im Dunkeln wurde Marie am sichtbarsten. Sie kam durch das Dunkel wie ein blau schimmerndes Strahlen, ja, es gefiel ihm, es sich so vorzustellen, *als würde das Dunkel von Marie durchstrahlt,* sein Atem wurde dann heftig, so heftig, daß Jeanne Langevin flüsternd gefragt hatte, Nacht auf Nacht:

»Paul? Woran denkst du? Schläfst du?«

Aber er hatte nicht geantwortet.

5.

Marie hatte gesagt: Wir müssen praktisch sein. Er hatte gefragt, was sie meinte, sie hatte gesagt, *wir müssen praktisch sein*, wir müssen eine Wohnung mieten, die nur unsere ist.

Am 15. Juli 1910 mieteten sie deshalb eine Wohnung, zwei Zimmer, in der Rue Banquier 5. Dort konnten sie sich treffen. Die Wohnung war spärlich möbliert, enthielt jedoch eine Sitzgruppe, die mit einem hellgrünen Stoff bezogen war – Marie entdeckte zu ihrer Verwunderung, daß die Sitzgruppe ihr sehr gefiel, und zwar vor allem die grüne Farbe, die sie an eine *Sommerwiese in Zakopane* erinnerte.

Das Schlafzimmer sehr einfach, ein Bett.

Paul hatte nicht viel getan, er war vor allem verblüfft über die praktische Sachlichkeit, die Marie entwickelte, aber war im Grunde glücklich. Seine ersten kleinen Billetts an Marie sind erfüllt von einem fast sorgenfreien Glück. Der Gral ist sein, und er hat nicht begriffen, was das bedeutet. *Ich schreibe in aller Eile, um zu sagen, daß, falls Du am Morgen nicht auftauchst, ich am Nachmittag nach zwei in unser Nest zurückkomme. Ich sehne mich ungeduldig danach, Dich sehen zu können, viel mehr als ich über alle Schwierigkeiten nachdenke, die bevorstehen. Es wird schön sein, wieder Deine Stimme zu hören und in Deine wunderbaren Augen zu blikken. Ich versuche, zu einigermaßen akzeptablen Lebensbedingungen für uns beide zu kommen, und ich teile Deine Ansicht, was geschehen muß, damit es Wirklichkeit wird.*

Alles schien so einfach.

Marie konnte durch die Straßen zu ihrer Wohnung *chez nous* gehen, und es war ja nicht weit, sie konnte schnell gehen und fühlen, daß nichts sie anstrengte, sie konnte *tausend Meilen gehen und Polens Sorgen auf ihren Schultern tragen und nicht einmal schwerer zu atmen beginnen* – das Zitat ist erstaunlich, weil es das einzige Mal ist, daß sie im Gespräch mit Blanche *die Sorgen ihres Vaterlands* erwähnt. Sie konnte Paul an der Tür in Empfang nehmen und ihn umarmen und langsam, sachlich und lächelnd anfangen, ihn auszuziehen, und nicht einen Augenblick seine Schamhaftigkeit zur Kenntnis nehmen oder Rücksicht auf sie nehmen.

Die polnische Unterdrückung, also die Unterdrückung der polnischen Kultur und der polnischen Freiheit, hatte sie einmal als eine Urkraft beschrieben, die der unterdrückten Liebe glich.

Er hatte sie im Dunkeln lieben wollen, doch sie machte Licht. Die Straßengeräusche störten nicht, außer einmal, als sie, während sie sich liebten, mit plötzlich vor Angst geweiteten Augen *das donnernde Geräusch eines neun Meter langen Leiterwagens* zu hören glaubte, *der sechs Tonnen schwer war und von einem Fuhrmann mit Namen Manin gelenkt wurde und in so schnellem Tempo um die Ecke bog, daß Marie mit einem Ausruf der Verwunderung oder der Angst vorübergehend ihre Liebesstunde unterbrach*, ohne sich jedoch dem Geliebten erklären zu können. Einmal hatte sie nackt auf dem Bett gelegen, als er kam, er hatte in der Tür innegehalten und sie beinah schockiert betrachtet. Sie hatte gesagt, komm herein! du träumst nicht! ich bin es! Er war ans Bett getreten und auf die Knie gefallen und hatte zu weinen begonnen, weine nicht, hatte sie gesagt, aber wenn du selbst weinen willst, weine.

»Stell dir vor, es hört auf«, hatte er gesagt.

Vielleicht fühlte sie sich auch so frei, weil die Wohnung so heimlich war, so verboten.

Sie konnte hinterher ganz still daliegen und zur Decke aufsehen und die flackernden Schatten der brennenden Kerze betrachten und wissen, daß *die polnischen Widerstandskämpfer sich häufig in Wohnungen wie dieser versteckt hielten und dort Diskussionen über das Weiterleben der polnischen Sprache und Kultur führten*. Natürlich muß sie den Unterschied gesehen haben, ihr Liebesnest war etwas anderes als ein Widerstandsnest, aber vielleicht nicht? vielleicht nicht für sie? Es war etwas Warmes, Geheimnisvolles in dieser verbotenen Wohnung, das ihr das Gefühl gab, sie befände sich schwimmend in einem warmen Meer, werde in warmem Wasser gewiegt, nein, als ruhe sie umgeben von den Häuten einer Fruchtblase, wie ein Embryo in einer Gebärmutter? konnte man so denken? ruhte nicht dieser Embryo in einem lebenspendenden Fruchtwasser? Gleichzeitig, redete sie sich ein, war das, was sie gerade erlebte, etwas Größeres: der innerste Sinn des Lebens, der sich nur unschuldigen Kindern offenbart.

Wie mir, dachte sie.

Sie versuchte, es ihm zu sagen, wußte jedoch, daß er nicht verstehen würde, wie es war, im Exil zu leben, daß man dann immer dazu getrieben wurde, eine Art Gebärmutter aufzusuchen, in der Mitte des Lebens, wo man sich auch befand!

Als habe man immer versucht, heimzufinden zu dieser Gebärmutter, verstand er? wo man sich auch befand! immer!

Sie hatte Bettlaken aus ihrer Wohnung mitgebracht und sie in einem Korb getragen, wie eine Marktfrau ihre Eier trägt.

Jeden Tag trug sie diesen Eierkorb der Reinheit zu ihrem Liebesbett. Warum tust du das, hatte er gefragt, jemand kann es sehen und sich fragen. Jemand wird es sowieso eines Tages sehen und sich fragen, hatte sie geantwortet, ist dir das nicht klar? Er schlief häufig ein, und sie sah in Liebe sein Gesicht an, wie das Kantige sich auflöste und verlegen und kindlich wurde. Hierher sind wir geflüchtet, hier hinein, ins innerste Exil, *wir ruhen in der Gebärmutter Europas*, hatte sie einmal zu ihm gesagt.

Er hatte es lustig gefunden, aber ein bißchen angestrengt, und da hatte sie es nicht wiederholt.

Weil alles, was sie taten, verboten war, hatte sie vor nichts mehr Angst. Ich bin nicht erfahren, hatte sie einmal gesagt, alles, was sie tat, wenn sie sich liebten, hatte die Grenze des Erfahrenen passiert und war neu. Was hat Erfahrung für einen Sinn, hatte sie gesagt. Es ist erfahren, und tote Materie. Du bist Physiker, hatte sie gesagt, das Universum ist in dem Atom, das dieses Bett ist, glaube an nichts, warum hast du Angst?

»Ich habe keine Angst«, wiederholte er, vielleicht ein paarmal zu oft, als daß sie ihm glauben konnte.

Sie wollte ja keine Angst haben. Und nicht, daß er Angst haben sollte. Auf diese Weise wollte sie ihn *mitnehmen*. Deshalb hatte sie von der Reise nach Nome erzählt.

Es ging ja so schief. Aber wie konnte sie ahnen.

Zuerst hatte sie Angst, er könne glauben, sie sei erfahren. Dann hatte sie keine Angst mehr. Du sollst dir keine Sorgen machen, hatte sie gesagt. Wir können uns doch vorstellen, daß wir uns durch einen Zufall begegnet sind, und daß du unterwegs bist zu einer Stadt in Alaska und nie mehr wiederkommst. Was gibt es für Städte in Alaska, hatte er gefragt. Nome, glaube ich, hatte sie gesagt. Es ist auf jeden Fall nicht Grönland, hatte er geantwortet. Um so besser, hatte sie gesagt. Du bist auf dem Weg nach Nome und bleibst nur diese eine Nacht in Paris, und auf der Reise nach Nome stirbst du dann. Und niemand findet dich, und wir hatten es so schön.

Warum muß ich sterben? Damit keiner von uns in dieser Nacht in Paris Angst hat.

Und dann denken wir genau das, Nacht auf Nacht, in alle Ewigkeit. Du gehst über eine unendliche Eisfläche und stirbst, bevor du Nome erreichst. Warum muß ich sterben? Weil du sonst Angst hast wegen dem, was wir in Paris tun. Niemand weiß etwas, niemand wird etwas erfahren. Wir haben auch vergessen. Es ist ausgelöscht.

Stell es dir vor. Es ist ausgelöscht, alles vor und nach dieser Nacht, und dann in alle Ewigkeit, du wagst alles und ich wage alles. Stell dir vor, daß du nach Nome unterwegs bist, und du siehst mich nie, nie mehr wieder, und nie muß ich mich schämen vor jemandem, weil du auf der Reise nach Nome gestorben bist.

Er hatte nicht verstanden.

Er war unangenehm berührt gewesen, das ist die ganze Wahrheit. Aber als sie von seiner Reise nach Nome erzählt hatte, hatte sie sich in gewisser Weise freier gefühlt, vielleicht ganz frei. Sie hatten sich geliebt. Es war besser als je zuvor und besser, als es jemals werden sollte. Aber eigentlich hatte ihm, das erkannte sie, die Erzählung von Nome nicht gefallen.

»Du willst, daß ich sterbe«, hatte er dann, fast sachlich, in den dunklen Raum hinaus gesagt, in dem die Kerze schon lange erloschen und es frühe Nacht geworden war und die Geräusche von der Straße fast aufgehört hatten.

Sie hatte heftig protestiert und gefragt, wie er etwas so Dummes sagen könne, als habe er an ihrer Liebe gezweifelt.

»Es hilft nicht, in Nome zu sterben«, hatte er da geantwortet.

Drei Wochen später kam er, als habe er nur einen Gedankengang unterbrochen und führe ihn jetzt fort, wieder darauf zurück:

»Erinnerst du dich noch an die Reise nach Nome? Es hilft nichts. Jeanne ist mißtrauisch. Sie muß etwas gehört haben.«

»Hast du Angst?«

Aber er brauchte ja nicht zu antworten, denn sie wußte es schon.

6.

Wenn es richtig ist, soll man nicht reden, dachte sie, wenn es am besten war.

Sie hatte ja nur dies gemeint: daß er, wenn es am besten war, ganz still und stumm in ihr lag, und sie spürte, wie sein Glied sich fast unmerklich in ihr bewegte; und man durfte nicht denken! man sollte nur eingeschlossen sein in der Mitte des Lebens. So sollte es sein. Und still, wie die Schnauze eines Hundes! wie der Hund, den sie als Kind gehabt hatte! so sollten sie einander beschnuppern, in ihr, aber ohne Gedanken! Es sollte sein, als wenn ihre Schleimhäute sich beschnupperten, behutsam, als wäre sein Glied die Schnauze eines Hundes, die schüchtern ihren Gebärmutterzapfen leckte.

Wenn es gut war, war es so.

Sie wollte es nicht mit Worten erklären, denn ihre Worte verstand er immer falsch. Wenn es am besten war, war es ohne Worte. Er war tief in ihr, still und gleichzeitig neugierig; und sie dachte an überhaupt nichts. Alle Gedanken waren ausradiert, das war es, was sie gemeint hatte mit der Eisfahrt nach Nome. Keine Geschichte und keine Strafe und keine Schuld, vor allem keine Schuld! keine Schuld! Alle ihre Gedanken sollten auf die Schnauze des Hundes konzentriert sein, die neugierig und sehr liebevoll war. Warum war es so schwer, ihm zu erklären, wie es sein sollte, wo er doch alles von Strahlung und Physik verstand.

Aber nicht das mit Nome.

Sie wagte nicht zu sagen, daß alle ihre Häute und Muskeln und all ihre Wärme und all ihre Freiheit und alles dort tief drinnen in ihr gesammelt war; und sie bewegte sich fast nicht, wenn es am besten war.

Wenn es am besten war, war es fast vollkommen still.

Dann lagen sie ganz still. Es würde nie ein Ende nehmen, sie waren ineinander eingeschlossen und von einander umfangen. Es würde nie ein Ende nehmen, weil die Liebe so sein sollte: wie ein Aufenthalt auf der Reise nach Nome, und nur gerade da, und neugierig und behutsam wie die Hundeschnauze, so sollte es sein, *für immer und außerhalb der Wirklichkeit, aber nur gerade da, in dieser Nacht.*

So stellte sie sich die Liebe vor. Das war es, was sie gemeint hatte mit dieser Reise nach Nome, daß es kein Nachher gab, oder Vorher, und auf jeden Fall nichts außerhalb ihres kleinen, gemeinsamen Zimmers. Und da hatte er diesen Satz gesagt: *Jeanne ist mißtrauisch geworden.*

Es war fast wie ein Verrat.

7.

Im nachhinein ist es unfaßbar, daß Maries kurzes Glück nur sechs Monate dauerte. Von März 1910 bis August 1910. Danach wurde alles so häßlich, daß nichts mehr ganz zu reparieren war, auch wenn die endgültige Explosion erst im November 1911 kam.

Danach sollte sie sich nie wieder einem Mann nähern, nie mehr einen Geliebten finden, von vorn anfangen können. Sechs Monate.

Plötzlich wurde auf einmal alles so viel häßlicher.

Es war lange so schön, fast sechs Monate, aber als es häßlich wurde, wurde es wirklich häßlich. Es tröpfelten eine Reihe von Zeugenaussagen ein, die berichteten, mit wechselndem Grad von Empörung oder Schadenfreude, wie *Jeanne wirklich mißtrauisch geworden war* und es nicht verhehlen wollte, und kämpfen wollte, und töten.

So war ja die Liebe, auch, also ihre. In der Geschichte ist Jeanne fast unsichtbar. Ich nehme an, daß auch sie eine Geschichte hat, daß auch sie dalag und an die Decke starrte.

Legt man alle Geschichten übereinander, wird am Ende alles unsichtbar. Also muß man wählen.

Ein Brief von Marie an Paul war von einem Dienstmädchen aus dem Briefkasten gefischt und Madame Langevin übergeben worden. Das war der Beweis.

Professor Jean Perrin, der ein Freund von Marie und Paul war, und der Bescheid wußte, hatte Jeanne Langevin aufgesucht und versucht, sie zu beruhigen, doch diese hatte nachdrücklich versichert, sie werde diese polnische Hure, den Eindringling in ihre Ehe, töten. Auf jeden Fall werde sie die französische Presse informieren.

Perrin war ein paar Tage danach spät am Abend nach Hause gekommen und hatte zu seiner unerhörten Verblüffung die Nobelpreisträgerin Marie Curie getroffen, die ihm auf dem Boulevard entgegenlief. Marie hatte mehrere Stunden auf der Mauer vor seinem Haus sitzend auf ihn gewartet und erzählte jetzt, daß sie *auf offener Straße von Madame*

Langevin und ihrer Schwester Madame Bourgeois belästigt und mit den gröbsten Beleidigungen überhäuft worden sei, und daß die rasende Frau sie bedroht und ihr zugerufen habe, sie solle ›Frankreich verlassen und nach Hause fahren‹.

Marie hatte ausgesehen wie ›ein gejagtes Tier‹. Sie hatte nicht ein noch aus gewußt.

Professor Perrin hatte am Tag darauf einen Besuch bei Madame Langevin gemacht, um zu vermitteln. Diese hatte daraufhin verlangt, daß Marie binnen acht Tagen das Land verlassen solle, andernfalls werde sie ermordet.

Es war häßlich. Es sollte noch häßlicher werden. Es hatte keinen Sinn, nach Nome zu reisen.

Was soll ich tun, hatte sie Blanche gefragt.

Doch Blanche hatte keinen Rat zu geben, Blanche hatte in einer anderen Welt gelebt, die teils viel häßlicher gewesen war, teils nicht auf diese Weise häßlich.

Verreise, hatte sie gesagt. Weg von Paris. Es ist gefährlich zu bleiben. Wohin soll ich denn verreisen, hatte Marie gefragt.

Nicht nach Nome, hatte Blanche da geantwortet.

8.

Sie reiste nach L'Arcouest.

Es war die erste Flucht vor der Liebe, die sie unternehmen sollte. Alle früheren Fluchten waren Angriffe gewesen. Doch diese war eine Flucht.

L'Arcouest war ein kleines Fischerdorf an der bretonischen Küste, es bestand aus einer Handvoll Häusern, die zwischen der Steilküste und dem Meer eingeklemmt dalagen, die Steine waren rot, man konnte am Strand entlanggehen und aufs Meer blicken. Eine Frau, die verzweifelt war und ihren Geliebten zaudern sah, konnte nur im Sturm am Strand entlanggehen oder am Tag danach einsam auf einer Pier sitzen, während die Dünung hereinrollte und der Regen dichter wurde. Marie wußte, daß sie einen Beschluß fassen mußte und selbst nicht zaudern durfte. Mit wem konnte sie reden?

Blanche lag in ihrer Holzkiste zu Hause in Paris.

Die Zeit in L'Arcouest erschien ihr später in der Erinnerung wie die Zeit in einem Eisgrab, so drückt sie sich aus, doch sie ist nicht tot und nicht von einer Eishaut bedeckt, und sie weiß, was auf dem Spiel steht, findet aber keine Lösung.

Und in dieser Zeit, im August 1910, schreibt sie den Brief an Paul, der die Katastrophe ihres Lebens werden sollte.

Marie, Maria, warum schriebst du ihn?

Oh, es ist so leicht, sich zu fragen: warum schrieb sie ihn! warum diese Aufrichtigkeit, warum diese praktische Fertigkeit, warum diese freundliche Rohheit, warum dieser Zynismus, warum diese unerhörte Entschlossenheit, ihren Geliebten zu behalten, warum schriebst du diesen Brief, Marie! als habe sie nicht gewußt, daß Paul schwach war. Als sei es möglich, ihn mutig und stark zu machen und zu einem, der Stürme aushielt, auch die, die sich um eine jetzt weltberühmte Nobelpreisträgerin zusammenbrauen konnten, die erste! von so viel Bewunderung und Haß umgeben, ganz und gar nicht die, die eines Nachts auf dem Boulevard weinend und verwirrt und mit verschmutzten Kleidern einem Freund mit Namen Perrin entgegenläuft und sagt, daß alles entsetzlich ist und daß sie sterben wird und daß der Skandal unausweichlich ist. Daß diese weltberühmte Frau jetzt alles Ansehen verlieren soll und daß sich alles auf einmal, in einer Sekunde! von Achtung in Verachtung verkehren soll.

Zu fallen ist vielleicht nicht schwer, doch aus dieser Höhe zu fallen! so tief! und die Kinder! und die Schande!

Sie schreibt also einen Brief an Paul, der erklärt, daß noch nicht alles verloren ist.

Aber dieser unerträglich praktische Tonfall! Dieser fast pädagogische, belehrende Tonfall! *Deine Frau entbehrt der Fähigkeit, die Ruhe zu bewahren und Dir Deine Freiheit zu lassen; sie wird immer versuchen, Kontrolle über Dich auszuüben, aus allen erdenklichen Gründen: materielle Vorteile, Rastlosigkeit und warum nicht gewöhnliche Bequemlichkeit, vergiß nicht, daß Ihr fast über alles, was den Schulgang der Kinder und die Führung des Haushalts angeht, ungleicher Meinung seid, es sind stets die gleichen Mißhelligkeiten, die*

Dich seit Eurer Heirat gequält haben, und die mir vollständig fremd sind.

Sie erinnert ihn an sein Elend, sachlich! Dieser unerhört sachliche Ton! er ist unerträglich, aber ist da nicht auch etwas anderes?

Der Instinkt, der uns zueinander geführt hat, muß unerhört stark gewesen sein, weil er uns geholfen hat, so viele Mißverständnisse in bezug darauf zu überwinden, wie sich unserer Ansicht nach unser Privatleben gestalten sollte. Was kann aus diesem Gefühl, das so instinktiv und spontan und gleichwohl so vereinbar mit unseren intellektuellen Bedürfnissen ist, nicht alles entstehen. Ich glaube, wir könnten aus dieser Zusammengehörigkeit alles gewinnen: eine fruchtbare Arbeitsgemeinschaft, Sicherheit und Zärtlichkeit, Lebensmut und sogar wunderbare Kinder der Liebe in des Wortes allerschönster Bedeutung.

Soweit ein gewöhnlicher Liebesbrief. Aber es geht weiter.

Hier spricht kein kalter Fisch, keine wissenschaftliche Analytikerin, keine brennende Revolutionärin, keine Suffragette, keine sanfte, liebenswerte Ehefrau, keine geschützte öffentliche Person und keine bewunderte Nobelpreisträgerin, die für Frauen in der ganzen Welt ein Vorbild ist: Es ist Marie, ein Tier in einem feindlichen Dschungel, und ein Mensch, der um sein Leben kämpft, ohne Rücksichten. *Es besteht kein Zweifel daran, daß Deine Frau nicht ohne weiteres in eine Trennung einwilligen wird, weil sie dabei nichts zu gewinnen hat; sie hat die ganze Zeit gelebt, um Dich auszunutzen, und wird in einer solchen Lösung nur Nachteile sehen. Schlimmer noch, es liegt in ihrer Natur, zu bleiben, wenn sie ahnt, daß Du am liebsten möchtest, sie verließe Dich.*

Wie schwer es für Dich auch sein mag, ist es deshalb notwendig, daß Du Dich entschließt, alles in Deiner Macht Stehende zu tun, um ihr das Leben unerträglich zu machen, methodisch und zielbewußt.

Falls sie sagt, sie sei mit einer Trennung einverstanden, wenn sie die Kinder bekommt, mußt Du den Vorschlag ohne zu zögern akzeptieren, damit Du der Erpressung, mit der sie es sonst versuchen wird, einen Riegel vorschiebst. Bis auf weiteres genügt es, wenn Jean weiterhin in der Schule wohnt und daß Du im EPCI in Paris wohnst, Du kannst nach Fontenay hinausfahren und die anderen Kinder treffen oder es veranlassen, daß sie zu Perrins hinüberkommen; die Veränderung würde nicht so umwälzend sein, wie Du glaubst, und es würde mit Sicherheit für alle Seiten das Beste sein. Wir können mit den gleichen Vorsichtsmaßnahmen fortfahren wie jetzt, wenn wir uns treffen, bis alles sich beruhigt hat, und so geht es weiter und weiter und weiter.

Sie will ihn retten und sie will ihn besitzen und sie ist von der tödlichen Krankheit der Liebe befallen, die nicht schön ist, nicht immer. *Du mußt alles tun, was in Deiner Macht steht, um ihr das Leben unerträglich zu machen, methodisch und zielbewußt.*

Das ist nicht schön. Aber zum ersten Mal in ihrem Leben ist sie von einer Liebe befallen, die alles beiseite fegt: und die ganze Zeit der grauenhafte Gedanke, die Andere, die Gehaßte könnte ihn dazu verlocken, ins eheliche Bett zurückzukehren, zur Erotik, und vielleicht dafür sorgen, daß sie schwanger wird.

Und Marie damit ein für allemal ausschließen.

Zum ersten, was Du machen mußt, gehört, daß Du wieder in Dein Zimmer ziehst. Ich mache mir Sorgen, weil ich Dich nicht auf das vorbereiten kann, was geschehen könnte. Ich habe Angst wegen der Weinanfälle, gegen die Du Dich so schwer wappnen kannst, Fallen, um Dich dazu zu bringen, sie schwanger zu machen, Du mußt all diesen Dingen mißtrauen, ich bitte Dich, laß mich nicht mehr lange darauf warten, daß Eure Schlafplätze getrennt sind. Erst dann kann ich weniger angstvoll die Schritte bis zu Eurer Trennung verfolgen. Komm nie aus dem Schlafzimmer im Obergeschoß herunter, arbeite bis spät, und wenn Du einen Vorwand suchst, sag, daß Du Deine Ruhe brauchst, weil Du bis spät am Abend arbeitest und früh aufstehen mußt, daß ihre Forderung nach einem gemeinsamen Bett Dich stört, und daß es Dir so unmöglich ist, Dich richtig auszuruhen.

Ja, es ist unerträglich. Marie, Maria, es ist unerträglich!

Sie wird von Gedanken gepeinigt, und es ist ein Schwert, das durch ihren Körper geht, Vorstellungen und Bilder tanzen durch ihren Kopf, es tut weh! weh! weh! *und falls Du möglicherweise aus reiner Erschöpfung im Urlaub nachgegeben hast, weigerst Du Dich jetzt, damit weiterzumachen, und wenn sie darauf pocht, wirst Du über Nacht bei Jean in Paris bleiben,* nein, es ist vielleicht nicht schön, aber Verzweiflung ist selten schön.

Und sie weiß es. Und so schließt sie, in stiller Verzweiflung. *Aber solange ich weiß, daß Du bei ihr bist, stehe ich grauenvolle Nächte aus, ich kann nicht schlafen, mit Mühe und Not vermag ich ein paar Stunden zu schlummern; ich erwache wie im Fieber und ich kann nicht arbeiten. Tu, was Du kannst, um dem ein Ende zu bereiten.*

Marie schrieb einen sehr langen Brief, der ein häßliches und ergreifendes Abbild der Liebe ist, wenn sie ist, wie sie ist, manchmal. Obwohl eigentlich ziemlich fein. Aber auf jeden Fall nicht geeignet für die Veröffentlichung in einer französischen Zeitung im Herbst darauf, in ›L'Œuvre‹ vom 23. November 1911, der Brief, der den Sturm gegen Marie auf seinen Höhepunkt trieb, den Sturm gegen ›*die ausländische Frau, die eine französische Familie zerstört hat, eine neue Dreyfusaffäre, wenn auch in neuem Gewand. Sie spaltet Frankreich jedoch nicht mehr, sie zeigt, daß Frankreich in den Händen eines Haufens schmutziger Ausländer ist, die unser Land ausplündern, verderben und entehren. Jetzt mobilisiert Israel alle seine Leviten, gedungenen Mörder und Halunken.*‹

Marie, Maria, wo geht's hin.

Denke oft an Pasqual und seine Maria.

Er hatte, in dem Freak-Zirkus, eine Frau namens Ann getroffen und sich in sie verliebt. Maria, der weibliche Frauenkopf, den er trug wie der Grubenarbeiter seine Stirnlampe, hatte da in Verzweiflung und Wut angefangen, *böse zu singen.*

Es kam kein Laut über ihre Lippen, sie hatte ja keine Stimmbänder. Aber sie sang böse, einen schneidend scharfen bösen Gesang, der unhörbar war für alle außer Pasqual, und der Gesang drang in ihn ein. Am Ende wurde er verrückt, versuchte sich das Leben zu nehmen. Man fand ihn in einem Canyon südlich von Santa Barbara, schwer verletzt, in einem ausgetrockneten Bachbett. Er war bewußtlos. Marias Augen waren weit geöffnet, wie vor Angst oder Erleichterung. Sie sang nicht mehr böse. Vier Mann trugen Pasqual und seine Maria zurück.

Ich denke oft an dieses ›böse singen‹. Wie es vielleicht war. Eine Art häßliche, schneidend grelle und durchdringende Verzweiflung, so empfand es wohl die hilflose Maria, als sie wie eine stumme Grubenlampe auf Pasquals Kopf saß und nichts, nichts anderes tun konnte, als böse zu singen.

So, ungefähr, ist wohl der böse Gesang der Eifersucht.

9.

Paul bekam den Brief, las den Brief und sandte eine korrekte, freundliche, ein wenig unpersönliche Antwort. Er hat ihren Brief einmal und noch ein zweites Mal gelesen, schreibt er, hat aber keine Zeit, ausführlich darauf zu antworten. Soweit er noch imstande ist, die Lage zu beurteilen, glaubt auch er, daß ›eine Trennung das Beste wäre‹, doch dann am liebsten ohne Gewaltsamkeiten.

Er hatte wohl ein wenig Angst.

Einige Monate zuvor war Marie für einen Sitz in der Wissenschaftsakademie vorgeschlagen worden.

Es war ein unerhörter, zutiefst schockierender Vorschlag, doch es gab ja in Frankreich nur drei lebende Nobelpreisträger, Marie gehörte dazu, sie nahm die Kandidatur an. Sie verlor die Abstimmung, und der Gezeitenstrom hatte gewechselt, die Haßwelle stieg, und ›dadurch, daß sie den Zeitungen gegenüber versicherte, Kandidatin zu sein, hat sie einen Mangel an Mäßigung erkennen lassen, der ihrem Geschlecht nicht ansteht. Die Allgemeinheit ist nunmehr der Kandidatin gegenüber feindlich eingestellt.‹

Es wuchs eine sonderbar verhaltene Wut auf Marie Curie.

Und doch wußte man noch nicht alles über ihre Geheimnisse. Nichts von dem fürchterlichen Brief von Marie an Paul, der wie ein böser Gesang über die Liebe war.

Aber bald. Schon im nächsten Herbst.

Da, ein Jahr später, am Wendepunkt, schreibt Blanche in ihrem Fragebuch unter der Überschrift **Wann erfuhr ich von Maries Dilemma?**, war Marie gegen 17 Uhr am Nachmittag in ihr Zimmer gestürzt, hatte sich neben ihrer mobilen Holzkiste auf die Knie geworfen, ihr Gesicht war leichenblaß und das Haar in Unordnung, sie hatte nicht geschluchzt, aber die größte Verzweiflung und Hilflosigkeit ausgedrückt, und hatte erzählt.

In Maries und Pauls gemeinsamem Unterschlupf war eingebrochen worden. Jemand hatte die Tür aufgebrochen, die Wohnung durchsucht und die Briefe gestohlen, die Marie an Paul geschrieben hatte.

Darunter befand sich auch der lange Brief, den sie im August 1910 aus L'Arcouest geschrieben hatte. Jetzt wußte Jeanne, daß sie eine Waffe hatte, einen Brief, der in den Augen der rigiden französischen Öffentlichkeit einem Charaktermord gleichkam, oder einem Selbstmord Maries. Schon am folgenden Tag ließ Madame Langevin durch ihren Anwalt mitteilen, sie sei ›im Besitz entscheidender Beweise‹ der Schändlichkeit Maries, Beweise, die sie in einem Prozeß zu verwenden nicht zögern werde und die sie veröffentlichen lassen werde, falls Marie nicht unmittelbar das Land verlasse, sondern ihre Familie weiterhin ihrer schändlichen Gegenwart aussetze.

Ungefähr so. Marie war viel zu erregt gewesen, um die Drohungen zu notieren. Doch sie wußte, daß Jeanne jetzt über eine Bombe verfügte, also einen Brief, der Maries Ansehen für immer vernichten konnte, und daß sie nicht zögern würde, ihn zu verwenden.

Sie sang wirklich böse. Und Marie hatte in jener Nacht schweigend und still neben Blanche gesessen, den Körper wie ein verlassenes Kind vor und zurück gewiegt und die ganze Zeit geflüstert, daß sie ihn jetzt verloren habe.

Was konnte man zu ihrem Trost sagen?

Gegen Morgen hatte Marie sich auf dem Fußboden ausgestreckt und war eingeschlafen. Sie hatte einem gejagten Tier geglichen, jetzt war sie gestellt. Sie hatte Blanche gefragt, was diese an ihrer Stelle getan hätte, aber Blanche hatte nicht geantwortet.

Aber sie dachte, daß Marie plötzlich wie ein Kind war, das sich sehr weh getan hat und nicht mehr weinen kann, nur im Schoß der Mutter liegen will und am Schluß flüstert: erzähl. Was soll ich erzählen? Erzähl von der Liebe, damit ich verstehe. Erzähl, wie sie war, und wie sie sein sollte. Das kann man nicht verstehen, hatte Blanche zurückgeflüstert, in ihr Ohr, die Liebe ist nicht zu verstehen.

Aus der Liebe kann Licht kommen, oder Dunkel. Die Liebenden können ihr Licht teilen, oder ihr Dunkel; daraus dann Leben oder Tod. Es ist nicht zu verstehen.

Erzähl von der Salpêtrière, hatte Marie da in dieser Nacht gesagt, erzähl, damit ich auch diese Nacht überlebe, und vielleicht alle anderen Nächte, bis in alle ewigen Ewigkeiten, auf dem Weg nach Nome vielleicht, ja, auf dem Weg nach Nome.

Amor Omnia Vincit, hätte Blanche da anfangen können, aber sie tat es nicht.

VI

Der Gesang vom Schmetterling

1.

Es gibt wirklich eine Fotografie von Blanche.

Im dritten Band des gigantischen Bildarchivs von Charcots Patienten, oder vielleicht sollte man sagen, weiblichem Theaterensemble, *Iconographie photographique de la Salpêtrière,* findet sich ein Bild von Blanche Wittman.

Es stimmt, sie ist schön.

Um den Hals trägt sie einen weißen Spitzenkragen, wie meine Großmutter Johanna auf dem Foto, das ich für den ›Auszug der Musikanten‹ verwendet habe, das mit der runden Brille und dem zurückgekämmten Haar, das nach und nach das Leichenfoto ersetzt hat, die Erinnerung an sie als Tote. Eine schöne und starke Frau. Blanche sieht nicht so streng und selbstbewußt aus wie Johanna Lindgren. Sie blickt schräg nach links unten, auch sie hat das Haar zurückgekämmt, aber ein paar lose Strähnen ringeln sich, freigelassene Schlangen, das Haupt der Medusa, und ihre schönen Augen sind traurig.

Die Taille schmal und der Körper weich sinnlich, notiere ich auf einem Zettel, den ich viel später wiederfinde. Es kann sich auf Blanche beziehen, oder Marie Curie, aber nicht auf Johanna.

Warum war es mir wichtig?

Die Hände, zum Zeitpunkt der Aufnahme 1880 noch nicht amputiert, sind gefaltet.

Von Marie gibt es dafür um so mehr Bilder.

So schön und verboten!

Auf dem berühmten Gemälde, das die Séance mit Blanche und Charcot wiedergibt, und das noch heute in der Bibliothek der Salpêtrière hängt, sieht man ihr Gesicht schräg von der Seite.

Man wird von den eifersüchtig neugierigen, fast gierigen Gesichtern der Zuschauer gefesselt. Sie teilen ein Erlebnis mit uns. Alle sehen: die Gebärde eines fallenden Körpers und weiblicher Hilflosigkeit bei Blanche.

Einsamkeit und Eifersucht.

Nachgiebigkeit, aufgeknöpfte Bluse. Charcot wie in einer befehlenden oder strafenden Gebärde den Zuschauern zugewandt. Und hinter ihr Babinski, der von Blanche so Gehaßte. Er streckt die geöffneten Hände aus, wie ein Erlöser.

Auf dem Foto in der *Iconographie* dagegen ist Blanche allein, die Schönheit von Blicken unberührt, das hübsche Kleid nicht aufgerissen und dekolletiert. Keine eifersüchtigen Betrachter. Dies ist eine verlockende Frau aus dem 19. Jahrhundert, eine Frau mit starker Integrität.

Die Ohrringe, lang. Teures Kleid? Ja, vielleicht. Kein Mädchen aus den Slums, aber eine traurige schöne Frau, die vor ihrem Leben steht. Ist es ein Gemälde? Die Spitzenklöpplerin, von Vermeer? Nein, aber ich kenne sie.

Eine, die vor ihrem Leben steht.

Betrachtet man die beiden Bilder von Blanche aus dieser Zeit, die Heilige und den ohnmächtigen jungen Star aus Charcots Ensemble vor den eifersüchtigen Zuschauern, betrachtet man sie mit rationalen Augen, ist sie unbegreiflich.

Aber tut das nicht!

Axel Munthe hat, in ›Das Buch von San Michele‹, erzählt, wie er einmal einer Séance in der Salpêtrière beiwohnte. Eine Vorführung in einem großen Saal – er hat vielleicht übertrieben, gewöhnlich war es ein Raum, der an die dreißig Zuschauer aufnehmen konnte.

Vielleicht will er sein Erlebnis dessen, was er Hypnotismus nennt, größer machen, das Vorstadium zu Charcots Hysterieexperiment mit Blanche. Er hat Blanche gesehen. Er nennt sie nie mit Namen. Das ist gut.

Das ist schön! Er besudelt sie nicht mit seiner Anwesenheit!

Doktor Munthe ist voller Verachtung.

›Die große Aula war bis auf den letzten Platz gefüllt von einem bunten Publikum, das aus ganz Paris hergelockt worden war, Schriftsteller, Journalisten, berühmte Schauspieler und Schauspielerinnen, mondäne Halbwelt, alle krankhaft neugierig darauf, das seltsame Phänomen des Hypnotismus zu erleben. Einige der Versuchsobjekte waren ohne Zweifel von echten Suggestionen beeinflußt, die ihnen im Schlaf als posthypnotische Suggestion eingegeben worden waren. Mehrere von ihnen waren Betrügerinnen, die wußten, was man von ihnen erwartete. Manche rochen mit Verzückung an einer Flasche Ammoniak, nachdem man ihnen gesagt hatte, es sei Eau-de-Cologne, andere aßen ein Stück Holzkohle, wenn es ihnen als Schokolade gereicht wurde. Eine Frau kroch wüst bellend auf dem Boden umher, als man ihr sagte, sie sei ein Hund, und flatterte mit den Armen, wie um zu fliegen, als sie eine Taube darstellen sollte, und raffte mit einem Ausruf des Erschreckens ihre Röcke hoch, als ihr suggeriert wurde, ein auf den Boden geworfener Handschuh sei eine Schlange. Eine andere wiegte zärtlich einen Zylinder in den Armen, als man ihr sagte, es sei ihr Kind. Dutzende von Malen am Tag zur Linken wie zur Rechten von Doktoren und Studenten hypnotisiert, verbrachten viele dieser Mädchen ihre Tage in einer Art Halbtrance, das Gehirn von den unsinnigsten Suggestionen verwirrt, ihrer Handlungen nur halb bewußt und sicher nicht für sie verantwortlich, dazu verdammt, früher oder später in den Salles des Agités zu enden, wenn nicht im Irrenhaus.‹

Ich kenne das.

Als ich Kind war, wie ein Kind sprach und kindliche Gedanken hatte, also im Alter von sechzehn Jahren, besuchte ich einmal eine Vorstellung, die von einem Suggestionskünstler, einem Hypnotiseur veranstaltet wurde. Es war in der Aula in Skellefteå. Im Saal saßen vielleicht siebzig Personen. Wir hatten alle Eintritt bezahlt, drei Kronen. Ich war schüchtern, ging deshalb nicht gern als Versuchsperson auf eine Bühne, ermannte mich aber, aus Neugier.

Es war das erste Mal, daß ich auf einer Bühne stand.

Nein, keine Mißverständnisse. Ich war weder als Patient in einem gigantischen Krankenhaus in Paris, noch befand ich mich unter mondänen Herrschaften aus der Halbwelt, berühmten Schauspielern oder lüsternen intellektuellen Beobachtern, nein, dies war nur die Aula der Höheren Schule von Skellefteå. Wir waren vielleicht sechs Personen, die oben auf der Bühne standen.

Der Hypnotiseur ein Mann in den Fünfzigern. Er schwitzte.

Alles, was Axel Munthe in ›Das Buch von San Michele‹ beschreibt, gab es hier. Vielleicht nicht so erfolgreich oder dramatisch, aber der Amateurhypnotiseur und ambulante Suggestionist – hieß es so? – versuchte es: Und ich erinnere mich schmerzhaft deutlich daran, wie ich mir später einredete, alles um seinetwillen getan zu haben. Weil er so stark schwitzte. Um seine Angst zu lindern. Wegen des Schreckens, den er auf mich übertrug. Weil das Publikum dort unten eine feindliche Masse war, die sich jeden Augenblick, falls er scheiterte, gegen ihn wenden würde, und dann wäre es meine Verantwortung! begriff ich da auf einmal! Sie würden sich mit Spott und Unzufriedenheit gegen diesen zweifelhaften ambulanten Suggestionskünstler wenden, wie ein aggressives, bedrohliches Tier, eine vernunftgesteuerte, blutdürstige Masse, die im nächsten Augenblick zum Angriff übergehen konnte; und daß wir, dort oben – in dem klaren kalten elektrischen Licht, das ihn so stark schwitzen ließ, nicht wegen dieses Lichts, sondern hauptsächlich vor Angst –, daß wir deshalb gemeinsam eine Verantwortung übernehmen mußten, eine künstlerische Teilhaberschaft. Und daß wir eine Aufgabe hatten gegenüber der feindlichen mißtrauischen Masse dort unten, die vielleicht, wenn wir scheiterten, mit Hohngebrüll oder Lachen über uns herfallen würde.

Wir, Künstler, gegen das Tier Volksmasse; und ich wußte, daß wir gemeinsam diese furchteinflößende und entsetzliche Aufgabe lösen mußten.

Danach habe ich nie wieder auf einer Bühne gestanden, und immer dort gestanden.

Die Gemeinschaft in der Verführung ist das einzige, woran ich mich erinnere. Ich mochte ihn. Bevor ich auf die Bühne ging, war er ein verabscheuungswürdiger Scharlatan gewesen, doch einmal dort oben, empfand ich Mitgefühl, teilte seine Angst vor dem feindlichen Menschentier.

Das war mein kurzer Aufenthalt in der Salpêtrière, ein Krankenhaus, das auf der Bühne in der Aula der Höheren Schule von Skellefteå lag, wo ich drei Kronen Eintritt bezahlt hatte und teilhaftig geworden war.

2.

In den Nächten sollte sie Marie erzählen, einer beschnittenen und unbeweglichen Scheherazade gleich, um dem Leben Sinn zu geben.

Blanche Wittmans furchtbares Leben erscheint in den drei Büchern als sinnvoll, wider besseres Wissen. Von einem schwach schimmernden blauen Licht umschlossen ist jede von ihnen die Fürbitterin der anderen. *Mein Schicksal und all das, was mir unter Professor Charcots sicherer Anleitung widerfuhr, schien für Marie häufig eine Art Trost zu sein.*

Ihre Handschrift klar, leicht zu lesen.

Nüchterne Erinnerungsbilder, unterbrochen von plötzlichen unbegreiflichen Fluchten in Träume, *um Maries Leben zu retten.* Dann mußte sie es in besonderer Weise zusammenfügen. Es sollte ja zusammenhängen, und einen Sinn haben. Pechblende tötet trotz untergemischter Tannennadeln aus einem Wald. *Strahlung zersetzt meinen Körper. Ich habe keine Angst. Ich werde bald sterben.* Es steht da wie eine plötzliche, fast scherzhafte Anmerkung.

Das hat sie zu Marie nicht gesagt. Aber vielleicht das Folgende?

Die Erklärung ist keineswegs, daß ich Charcot gegenüber Angst empfand, oder Unterlegenheit. Am 3. Oktober 1880 zeichnete er zum ersten Mal sein wissenschaftliches Schema auf meinen Körper, den er teilweise entkleidete, aber nicht auf unsittliche Weise, so daß meine Brüste sichtbar wurden. Die

Krämpfe, die ich seit mehreren Jahren gehabt hatte, und die nicht mit Epilepsie zu verwechseln waren, aber meinen Körper in einem Bogen zu dem schwarz werdenden Himmel aufwarfen, der keine Gnade kannte, ließen mir Zischlaute entfahren, wie aus Haß oder Verachtung für den Gott, den es nicht gab. Er strafte mich, als wäre ich ein Hiob, nicht ein Schmetterling auf der Flucht vom Himmel herab, sondern ein gestürzter Engel, von Rache verfolgt. Charcot entwarf da ein Schema aus Vierecken, in das er Koordinaten einzeichnete – ich lernte die Bedeutung dieses Wortes später –, auf denen gewisse Punkte angegeben waren. Er benutzte einen Stift. Ich bemerkte, daß er nicht die Punkte der Lust kennzeichnete, die der gewöhnlichen Auffassung zufolge mit der Leidenschaft in Verbindung stehen sollen. Als ich später bei der Arbeit an der Iconographie Photographique de la Salpêtrière mithalf, habe ich mit fast humoristischem Interesse auf einem schematisch gezeichneten Frauenbild die hysterogenen Zonen markieren können – 11 an der Zahl auf der Vorderseite, 6 auf dem Rücken.

Es war eine Illustration, die tatsächlich mich selbst darstellte, doch in graphischer Form. Ich konnte da das Bild des verwirrten Gefühlslebens eines Menschen in einer Zeichnung festhalten, mit vereinfachter Klarheit. Erst später kam mir der Gedanke, daß dies ich war, ein Mensch, und daß ich, statt mich als so widersprüchlich zu empfinden, und chaotisch, mich selbst zu dieser – ich zögere nicht, das Wort zu benutzen – Reinheit hätte vereinfachen können. Es war diese Reinheit, die zu bewahren ich seit meinen Erlebnissen am Ufer des Flusses bestrebt gewesen bin.

Doch stellte ich noch falsche und fast gehässige Fragen an ihn.

»Glauben Sie, daß ich eine Maschine bin und kein Mensch«, hatte ich gefragt; zu jener Zeit verwendete ich ihm gegenüber noch nicht die Anrede du.

»Nein«, wehrte er sich, blickte aber zur Seite, als empfinde er die Worte als Vorwurf.

»Aber Sie glauben«, bohrte ich weiter, »daß Sie Macht über mich erlangen, wenn Sie diese Punkte berühren?«

Er hatte nicht geantwortet.

Sein Assistent Sigmund hatte sie einmal nach ihrer Kindheit und Jugend befragt.

»Hast du jemals Lust auf deinen Bruder verspürt?« hatte er gefragt.

»Selbstverständlich«, hatte sie geantwortet.

Er sah, daß sie log. *Aber,* schreibt sie, *zu welchen Erzählungen greift man nicht lüstern auch jetzt, weit später, wenn das Leben aufgehört hat und man in eine Holzkiste auf Rädern gesetzt worden ist.* Als sie vierzehn Jahre alt war, ein Kind noch, mit kindlichen Gedanken und dem Mangel eines tollwütigen Wolfs an Nachsicht und Vergebung gegenüber dem Leben, kehrte einmal ihr Vater zurück, um seine Ehefrau zu besuchen. Diese war nicht zu Hause. *Meine Mutter haßte ihn, und er sie. Auch ich haßte sie, doch nur bis zu dem Augenblick, als sie mich, von der Umarmung des Flusses verschlungen, verließ. Da brach ich in heftiges Weinen aus, wie angesichts einer amputierten Liebe.* Blanches Vater sprach höflich mit ihr, ging in den Garten und pflückte drei gelbe Blumen, die er ihr schenkte, als wäre sie eine Fremde, eine unbekannte und schöne junge Frau.

Er ging, es war in der Dämmerung. Sie hielt ihn jedoch am Gartentor auf, faßte ihn an der Schulter, drehte ihn zu sich um und küßte ihn lange, als wäre er ein Mann und sie eine Frau. *Ich fand Gefallen an seinem Kuß. Ich betrauere ihn zutiefst. Und dieser junge Lümmel fragt mich nach meinem Bruder, ob ich Lust auf ihn habe!*

Ach nein. Aber drei Blumen! Gelbe! Sie fand das komisch.

Man kann sich vielleicht bis zu dem Punkt hinerzählen, an dem das Unsichtbare auch von einer Holzkiste auf Rädern aus sichtbar wird.

Was nicht heißt, daß man versteht.

Sie sagt zu Marie, sie habe *Charcot vom ersten Augenblick an gehaßt, ihn aber danach nicht mehr gehaßt, eher geliebt.*

Ihn am Ende sehr sehr geliebt.

Am einfachsten so. Eine Liebesgeschichte zusammengefaßt. So kann es anfangen, mit Abneigung. Dann verändert sich alles. *Du bist der, den ich liebe, und immer lieben werde, in alle ewige Ewigkeit.*

Blanche war achtzehn, als sie in die Salpêtrière eingewiesen wurde.

Es war nicht die erste Einweisung; seit ihrem siebzehnten Lebensjahr war sie in verschiedene Pflegeanstalten aufgenommen und wieder entlassen worden. Irrenhäuser, pflegte sie zu sagen. Die meisten faßten dieses Wort *Irrenhaus* als ein Zeichen von Hochmut auf. Ich bin in fünf Irrenhäuser eingewiesen worden, konnte sie sagen, mit ruhig gesenktem Blick, *schön wie ein Alpenveilchen*, mit einem bedrohlich sanften Unterton, der andeutete, daß der Wahnsinn jeden Augenblick explodieren konnte. Sie war ja so schön. Der, zu dem sie Liebe faßte, Jean Martin Charcot, war am 29. November 1825 in Paris geboren und Sohn eines Wagenmachers.

Man muß zwischen den Bildern suchen, nicht in ihnen.

Er hatte keine besonderen Erinnerungen an seine Kindheit. Am deutlichsten erinnerte er sich an den Sommer an der Kanalküste, in der Nähe der Stadt Saint-Malo. An diesen Sommer hatte er eine deutliche Erinnerung. Im übrigen Leere, keine Erinnerungen. Ihre Wiederholungen sind geisteskrank. Liebe konnte sie nicht erklären, versuchte es aber.

Irrenhäuser, pflegte sie zu sagen. Krankenhäuser ist wohl richtiger, oder Asyle.

Keiner hat sie jemals als geisteskrank bezeichnet, weder vor der Salpêtrière noch danach. Dennoch immer mal wieder im Irrenhaus, und ständig diese ruhige, anmutige, bedrohliche Schönheit. Sie brach in regelmäßigen Abständen zusammen, wurde eingeliefert, wurde geheilt, wurde entlassen, und brach wieder zusammen. Wie ich das kenne!

Wie gesagt: Sie hatte Charcot vom ersten Augenblick an verabscheut. Dann nicht mehr.

Sie hatte Rückfälle von ›hysterischem Charakter‹.

Die Anfälle begannen mit einer tonischen und später klonischen Phase. Dann, nach einer kurzen Pause, ein extremer *opistotonus*, mit *arc de cercle*, zuweilen mit *vocalisation*. Dann wurde sie gefährlich, wenngleich schön. Niemand wußte ein noch aus mit ihr.

Ich glaube, alle hatten sie aufgegeben.

Man hofft lange, jemanden wieder zurücklocken zu können zum Normalen. Dann gibt man auf. Da wurde Blanche in die Salpêtrière geschickt. Es war gleichsam die Endstation, oder der Abfallplatz. Das Schloß der Irren, das Frauenschloß, das Abfallschloß für die Hoffnungslosen.

Aber sie war ja erst achtzehn!

Blanche trat in der Salpêtrière in eine alte Tradition ein, im achtzehnten Jahrhundert Europas größtes Asyl mit achttausend Insassen. Dies in einer Stadt mit einer Bevölkerung von nur einer halben Million! was dazu führte, daß oft drei bis vier Personen in einem Bett schlafen mußten. Besonders wichtig war die Abteilung für entartete junge Frauen, oder eher Kinder, in La Maison de Correction. In La Correction wurden junge Mädchen eingesperrt, die als *pervertiert oder degeneriert* definiert wurden. Sie waren auf Antrag ihrer Familien eingewiesen worden, ein Antrag, der an den König oder die Verwaltung im Hospice Général gerichtet wurde. Die Eltern, oder in vielen Fällen die Nachbarn, reichten einen Antrag ein, der erklärte, daß die entarteten Mädchen eine unzumutbare Belastung für die Familie, oder die Nachbarn oder, in einem weiteren Sinn, für die nähere Umgebung seien, in der sie lebten, zum Beispiel für ein Stadtviertel; und die Kinder wurden dann nach La Correction in die Salpêtrière gebracht.

Und wie schnell machten sich nicht konvulsivische Symptome bemerkbar!

Die pervertierten und entarteten Kinder waren von dem Viertel der Prostituierten, La Commune, nur durch einen offenen Platz getrennt; diese jungen Mädchen brauchten sich nicht den Regeln für die Prostituierten zu unterwerfen, also der Brandmarkung der rechten Schulter mit einem ›V‹ oder einer ›fleur de lis‹ (vielleicht hat sie das Bild mit dem Brenneisen doch nicht von Racine!), oder vermischt zu werden mit den vielen Frauen in La Grande Force, die als ›politische Gefangene‹ definiert wurden, wo besonders um die Mitte des achtzehnten Jahrhunderts die sogenannten ekstatischen *convulsionnaires* aus Saint-Médard einen legendären Status innerhalb der Salpêtrière-Tradition innehatten.

Blanche wurde ja in eine Geschichte eingeführt! In die schmutzige Geschichte der Modernität!

Man hatte sie in das Schloß geführt, wie man Vieh in einen Pferch führt.

Sie hatte sich nicht aufgebäumt, aber einer der Pfleger hatte sie hart am Arm gefaßt, und als es so weh tat, daß sie *konvulsivisch exklamiert* hatte – der Ausdruck begreiflich, wenn auch kaum korrekt, wie so vieles im Fragebuch –, hatte er sie um die Taille gefaßt und später beruhigend ihre Brüste gestreichelt. *Ich weiß nicht mehr, wie viele dieser sogenannten Krankenhäuser ich besucht habe, oder in wie viele ich hineingezwungen wurde. Aber mein Vater hatte, als Lösung eines Problems, dessen er nicht Herr zu werden vermochte, den Verantwortlichen gesagt, ich sei kranken Sinnes, habe falsche Anklagen gegen alle und alles, also auch gegen ihn, erhoben, und den unschuldigen Pflegern, die mich in das Salpêtrière-Krankenhaus brachten, konnte es nicht zum Vorwurf gemacht werden, daß sie mich als eine Wahnsinnige betrachteten, die beruhigt werden müsse. In den Zeitungen war ja auch viel von den Wassersüchtigen, auch Rabieskranke genannt, die Rede, für die Doktor Pasteur soviel Aufmerksamkeit geweckt hat. Die Pfleger hatten vielleicht Angst, ich könnte angesteckt sein. Es war allgemein bekannt, wie zum Beispiel die mit Rabies infizierten russischen Bauern, die nach Paris gebracht worden waren, und die Doktor Pasteur jetzt studierte, wie diese wahnsinnig vor Schrekken und Angst auf das Eisengitter bissen und sich gegen die Steinwände warfen, um ihr unsägliches Leiden zu verkürzen. War es da nicht möglich, daß ich, dieses furchterregende junge Wesen mit Namen Blanche Wittman, das so häufig von rabiesähnlichen Spasmen befallen wurde, auch angesteckt war!*

Und also hatten sie beruhigend ihre Brüste gestreichelt und sie scherzhaft durch das Tor geführt, das der Eingang zu diesem Schloß war, in dem sie jetzt sechzehn Jahre ihres jungen Lebens verbringen sollte.

Das war am 12. April 1878.

Drei Monate war sie dort, bevor sie zum ersten Mal den Mann sah, der über das Schloß herrschte, den mächtigen Doktor Charcot, den bewunderten und gefürchteten. *Und als unsere Augen sich begegneten, und er sich über sein Journal beugte, um zu prüfen, was dort über mich aufgezeichnet war, bemächtigte sich meiner augenblicklich ein Gefühl des Hasses, ein Gefühl, das er nicht teilte, und das ich später in Liebe umwandeln sollte. Ich wußte, daß er mein Leben zu lenken wünschte, und ich wußte, daß er scheitern würde. Von diesem Augenblick an war er rettungslos verloren.*

Viel mehr schreibt sie nicht über ihre Ankunft.

Charcots Schweigen war allgemein bekannt.

Wenn er vor dem Freitagspublikum – später auch an Dienstagen – eine Patientin untersuchte, saß er oft schweigend und nachdenklich da und betrachtete sie. Dann konnte er mit leiser und fast flüsternder Stimme eine Frage stellen, danach aufs neue Schweigen. Manchmal ein plötzliches freundliches Lächeln, das ebenso plötzlich wieder verschwand, als habe er eine Eingebung, die aber sofort von seinem Verstand verworfen wurde.

Blanche war ja so jung. Man weiß nicht einmal, ob er ihr von Anfang an irgendeine Beachtung geschenkt hat.

Sehr schön, niedergeschlagene Augen. Wie hätte er wissen sollen.

3.

Im Jahre 1657 wurde in Paris die Bettelei verboten, Bettler wurden festgenommen und in die Salpêtrière gebracht, die im 18. Jahrhundert mit mehr als achttausend Patienten und Gefangenen Europas größtes Asyl wurde.

Niemand konnte zwischen diesen beiden Begriffen unterscheiden, Patient und Gefangener. Man einigte sich deshalb auf Patient.

Die Alten, die Mittellosen, die Bettler, die Prostituierten mit venerischen Krankheiten, die Gelähmten, die chronisch Kranken, die Spastiker, die Geisteskranken und die in Gewahrsam genommenen Kinder, alle sammelten sie sich dort. Auch solche, die nicht auf diese Weise definiert werden konnten, aber einer dieser Kategorien angepaßt wurden. Die Niedrigsten von allen Eingeschlossenen hausten in den Eingeweiden des Schlosses, in jener innersten Bauchhöhle, die Les Loges des Folles genannt wurde: Kellerlöcher mit Lehmfußboden, gedacht für demente geisteskranke Frauen, in denen die Schwächsten bald den kampflüsternen Ratten zum Opfer fielen, die in der Dunkelheit ihren Überlebenskampf aufnahmen, einen Kampf, der gegen diese greisen weiblichen Eindringlinge meistens erfolgreich war.

Dies war der innerste Raum des Schlosses, die innerste Bauchhöhle: als wäre das Schloß ein geradezu menschliches Wesen. In diesem menschlichen Wesen gab es ein furchtbares Geheimnis, einen innersten Raum, den unerforschten schwarzen Angsttraum des Menschen.

Doch für diese innerste Höhle zeigten die auserkorenen Herrscher des Schlosses hundert Jahre lang wenig Interesse.

Später hieß es, Doktor Charcots Vorgänger hätten die Verhältnisse verbessert.

Wer bohrte sich durch und besuchte die Höhle des Bauches?

Vielleicht Philippe Pinel? 1745 geboren, ein Freund von Benjamin Franklin, später Aufklärer, mit dem Traum, nach Amerika zu fahren; er kam statt dessen als Arzt in die Salpêtrière und blieb dort bis zu seinem Tod 1826. Während der Französischen Revolution, als er, von den Ideen der Aufklärung ermutigt, vorschlug, daß die am schlechtesten behandelten gefangenen Frauen von ihren Fesseln befreit werden sollten, hatte man ihn gefragt: *Bürger Pinel, bist du selbst wahnsinnig, daß du diese weiblichen Tiere befreien willst!*, worauf er antwortete, daß sie aufgrund des Gestanks, des Mangels an frischer Luft, Tausender Ratten, des Dunkels in den Löchern und aufgrund der Hoffnungslosigkeit wahnsinnig geworden seien. Sagte da der Revolutionär: *Tu, was du willst, Bürger Pinel!* Einige hundert Frauen wurden jetzt ans Licht gelassen. Eine erregte Volksmasse, durch das Aussehen der freigelassenen Frauen in

Furcht und Schrecken versetzt, stürzte sich auf Pinel. Er wurde indessen von einem Soldaten namens Chevigne gerettet, den er zuvor nach zehn Jahren in Fesseln befreit hatte.

Ja, hatte Charcot zu Blanche eines Nachts kurz vor seinem tragischen Tod in ihren Armen auf ihre Frage geantwortet, *Pinel war mein Vorbild.*

Dazwischen? Zwischen 1826 und 1862?

Viele.

Aber Pinel war das Vorbild.

4.

War es eine Linderung, daß sie Marie erzählte?

Man muß sich dies als eine Tragödie vorstellen, auf einer gigantischen Theaterbühne inszeniert, wobei die Bühne alles war, die Akteure in die Tausende gingen, und dort unten im Saal nur eine Handvoll Zuschauer.

Nein, ein einziger, Marie Skłodowska Curie! Umstrahlt vom tödlichen blauen Licht der Liebe! Wartend!

Blanche wurde einmal vermessen.

Und zwar von Paul Broca, Professor in Nervenchirurgie mit dem Spezialgebiet Kraniologie. Er war ein Schüler Lombrosos, dessen Studien über das menschliche Kranium, insbesondere die Kranien von Frauen und Verbrechern, zwischen denen er auffallende Gleichheiten sah, nicht zuletzt August Strindberg faszinieren sollten.

Blanche mochte Broca nicht. Sie meinte, er betrachte sie im Grunde als ein schönes Tier, dessen Schädel gemessen und gewogen werden konnte. Doch wie erfindungsreich verstand es dieses junge Mädchen Blanche, die Spitzenklöpplerin!, sich gegen diese geistige Unterdrückung zu wehren! Sie fand ein Zitat von Hippokrates, eine Kritik an der Relevanz der Messung der menschlichen Kopfform. *Wer hätte vorhersehen können, wenn man nur von der Form des menschlichen Gehirns ausging, daß ein Becher Wein dessen Funktion derart beeinträchtigen konnte?*

Charcot hatte *mein Zitat von Hippokrates mit einem Lachen gewürdigt* und es in einer Vorlesung benutzt. *Wir tasten uns mit dir an der Hand in einen gänzlich unbekannten Kontinent vor!* Hatte er gesagt, und sie danach lange forschend und schweigend angesehen.

Meinte er gerade Blanche? Oder die Frau überhaupt?

Man nannte die Salpêtrière, als er dorthin kam, das größte potentielle Zentrum für klinische neurologische Forschung in der Welt.

Der junge Charcot fand ein Gruselkabinett von Krankheiten vor, ein Chaos unklassifizierter Leiden, von Rufen, Gebeten und Vorurteilen. Das Gruselkabinett war, schrieb Charcot schon 1867, bevölkert von mental Zurückgebliebenen, mental Gestörten, Idioten, Epileptikern und Geisteskranken, *sämtliche vielleicht nur Menschen.*

Der Ausdruck ist wohl bewußt unklar: *vielleicht nur Menschen.*

Im Zentrum dieser Horde ›menschlicher Ratten‹ befand sich zu dieser Zeit eine Gruppe von 2500 Frauen, auf deren Problem niemand eine Antwort hatte und deren Rätsel so unmöglich zu lösen war, daß sie ganz einfach eingeschlossen wurden, wie Verhexte, aber nicht Behandelbare.

Blanche schreibt wiederholt, daß die Salpêtrière die *Verhexten beherbergte.*

Warum blieb Charcot im Krankenhaus?

Hier begann, hatte er einmal gesagt, die Zukunft der Vernunft. Als er zum ersten Mal in das Krankenhaus kam, bei einem zufälligen Besuch, und all diesen Schmutz, dieses Grauen, diese gelähmten Glieder, das Schütteln, das Zittern, Brüllen und angstvolle Bitten sah und wußte, daß die Welt über keinerlei Kenntnisse der Neuropathologie verfügte, hatte er zu sich selbst gesagt: ›*Faudrait y retourner et y rester.*‹

Es ist notwendig, hierher zurückzukehren und hier zu bleiben.

Es ist wie mit der Liebe, schreibt Blanche mit ihrer kindlich runden Handschrift, *man kommt das ganze Leben nicht mehr davon los, wie sehr man sich auch die Freiheit wünscht.*

Sich die Freiheit wünschen! Was er indessen nicht tat.

Über Charcot und die Kommunarden.

Die Schaffung eines nationalen Zentrums für neurologische Forschung, mit Charcot an der Spitze, war eine Art, die nationale *gloire* nach der Niederlage von 1870 und dem blutigen Ende der Pariser Kommune wiederherzustellen. Auch das große Amphitheater, das auf dem Gelände der Salpêtrière gebaut wurde und für Charcots größere öffentliche Vorlesungen gedacht war, und die enormen Summen, die für seine Forschungen und Fragestellungen zur Verfügung gestellt wurden, dienten einem nationalen Zweck. Die Freitagsvorlesungen, wie sie auf dem berühmten Gemälde mit der ohnmächtigen Blanche und Charcot abgebildet sind, wurden jetzt auf Dienstag und in die größere öffentliche Arena verlegt, *Leçons du Mardi à la Salpêtrière.*

Man könnte sagen: Dies war Frankreichs Ehre, inszeniert als eine Theatervorstellung mit dem Titel *Die ohnmächtige Blanche.*

Charcot durfte sie nicht berühren, nur während der Vorführungen ließ sie dies zu, wenn alle anwesend waren. Doch da entschied er sich dafür, es die Assistenten tun zu lassen. Einmal hatte er geweint, sich aber wieder gefaßt, und so hatten sie danach eine rundum gelungene Vorstellung dargeboten.

Wie schwer, das Kunstwerk als Trost und Heilung vom Kunstwerk als Verführung zu unterscheiden!

Ich liebe dich, hatte er gesagt. Aber sie hatte nicht antworten wollen, und so war er auch nach dieser Dienstagsvorstellung in sein Haus und zu seiner Frau und den Kindern zurückgekehrt, und sie in ihr Zimmer, und er in sein Zimmer, und beide hatten sie im Dunkeln auf ihren Betten gelegen, durch ewige Ewigkeiten voneinander getrennt, und an die Decke gestarrt und nicht ein noch aus gewußt.

Jahr für Jahr? hatte Marie Skłodowska Curie gefragt.

Jahr für Jahr.

5.

Zuerst Feindschaft.

Sie näherten sich einander langsam, sie kreisten umeinander wie zwei Samurai, in Erwartung des tödlichen Angriffs.

Halbe, teilweise zensierte Seite im schwarzen Buch über die Eifersucht.

Charcot sah sie oft über den Hof gehen, zu Gilles de la Tourettes Arbeitszimmer; er bemerkte, vielleicht noch gleichgültig, daß sie dorthin ging. Ihr war bereits nach einem Jahr im Krankenhaus ein eigenes Zimmer zugeteilt worden. Das war außergewöhnlich. Sie war gut gekleidet. Sie war wie ein verirrter tropischer Vogel. Er fragte sich vielleicht, was sie in Gilles de la Tourettes Sprechzimmer tat.

Er hatte eine vage Irritation verspürt, die berufliche Gründe hatte.

Gilles de la Tourette hatte einen *durch und durch wissenschaftlichen Traum,* den Charcot mit einem Anflug von Spott ›Tausendundeine Nacht‹ zu nennen pflegte. Eine Auswahl seiner Patienten wurde dafür verwendet. Ausgangspunkt war der Gedanke, daß im Schloß Märchen erzählt wurden, um zu überleben. Sie handelten oft von der Liebe. De la Tourette hatte andere Märchen erwartet, grausamere, aber sie handelten von der Liebe. Er konnte mit diesen Erzählungen nichts anfangen.

Charcot war skeptisch. *Die Liebe als neurologischer Anfall mit katatonischem Einschlag.* Konnte man *neurologische Anfälle herbeierzählen,* zum Beispiel Liebe? Oder auch nur eine plausible Erklärung, *wie alles zusammenhing?* Was trieb de la Tourette da eigentlich: ein schrumpfendes Dutzend, das am Ende die Experimentgruppe ausmachte, es waren Bas, Glaiz und Witt, wie sie im Protokoll abgekürzt wurden, eigentlich nur drei, mehr nicht.

Dann hatte Charcot alles übernommen. Auch Blanche. Bas und Glaiz waren ja nur Abkürzungen, die nicht an seiner Seele scheuerten wie ein Sandkorn. Witt, also Blanche Wittman, war etwas ganz anderes.

Zuerst viele tausend. Dann ein Dutzend. Schließlich eine einzige. Eigentlich nur eine einzige, die zählte.

Jetzt war es nur Blanche.

Witt, wie er in den Protokollen schrieb.

In den Protokollen fror er seine Liebe ein.

Witt war ein Mensch an der Peripherie des Menschlichen. Zuerst betrachtete er mich wie eine Auster, hatte sie eines Nachts zu Marie gesagt, man träufelt Zitrone auf eine Auster, um zu sehen, ob sie lebt, und eigentlich ein Mensch ist. Er träufelte Zitrone auf mich. Dann wurde er von Liebe ergriffen. Das war die Strafe. Die Strafe der Liebe ist die grausamste, besonders wenn die Geliebte sich von einer Auster in einen Menschen verwandelt.

Sie war nicht sicher, ob Marie hörte. Marie lag oft auf dem Fußboden neben der Holzkiste, auf einer Matratze, mit geschlossenen Augen. Hast du verstanden, Marie? fragte sie da ins Dunkel hinein, hast du das Bild mit der Auster verstanden?

Das Bild! Sie versucht sich zu verkleiden! Sicher war das der Grund dafür, daß Marie schwieg.

Man kann sich auch vorstellen, daß Blanche der unbekannte Dschungel ist, in dessen Innerem Charcot sich verirrt. Und aus dem er die letzten Jahre seines Lebens verzweifelt herauszufinden versucht.

Die erste Untersuchung: Wirklich ein Gespräch, bei dem er interessiert Zitrone auf Blanche träufelt, um zu sehen, ob sie sich zusammenzieht.

»Ich habe bemerkt«, hatte Charcot mit sehr leiser Stimme erklärt, »daß du dich von den anderen Patienten fernhältst.«

»Das ist richtig.«

»Als wärst du besser als sie, ein etwas sublimerer Mensch, oder, wie soll man sagen, als hättest du eine etwas sublimere Krankheit? Siehst du es so?«

Sie hatte ihm gerade in die Augen gesehen und gesagt:

»Professor Charcot, ich weiß, daß Sie in dieser Anstalt alle Macht haben. Machen Sie sich nicht kleiner, als Sie sind, indem Sie es hervorheben. Ich weiß. Sie glauben, ich sei hochmütig, Sie wollen mich verkleinern, bis ich eine gewünschte

Demut erreiche. Deshalb fragen Sie. Sie wünschen größere Macht über mich.«

»Danach habe ich nicht gefragt«, hatte er nach einem langen Schweigen gesagt.

»Aber ich habe auf Ihre Frage geantwortet«, hatte sie da rasch entgegnet.

Das Wort Medizin, hatte Charcot später zu ihr gesagt, er sagt jetzt du zu ihr, *kommt von Medea, der Mutter der Hexenkunst.* Bist du denn ein Magier, hatte sie gefragt. Nein, hatte er gesagt, ich bin ein Gefangener der Vernunft, mit meinen Füßen tief in dem Lehm, den die Magie ausmacht.

Willst du denn frei werden? hatte sie gefragt.

Er hatte lange geschwiegen, dann geantwortet. Ja, hatte er gesagt, ich will befreit werden, aber werde nie frei. Auch wenn es mir gelänge, meine Füße aus diesem Lehm zu befreien, würde er doch immer an mir kleben.

Ist es deshalb? Hatte sie gefragt. Deshalb, hatte er geantwortet.

Er hatte gesagt, daß seine Methode nicht rational erklärt werden könne, und wenn etwas nicht erklärt werden könne, sei es am besten, weiterzusuchen. Sie hatte die Worte notiert – und sie muß etwas mißverstanden haben –, *Liebe ist wie die Medizin eine spekulative Methode, die streng auf Fakten basiert.*

Im schwarzen Buch die Beschreibung einer aufkommenden Spannung.

Er war in sein Arbeitszimmer gegangen und hatte die Tür offen gelassen, einen Augenblick hatte Blanche gezögert, dann war sie ihm gefolgt. Er wandte sich nicht um, wußte aber, daß sie da war. Hinter dem großen grünen Krug, in dem er die Badroisreliquien aufbewahrte, war ein kleineres Bücherregal mit braunen Mappen; er griff nach einer von ihnen und setzte sich an den Arbeitstisch. Blanche schloß die Tür. Er machte keine Einwände. Sie setzte sich neben ihn. Seine Handschrift war leicht zu lesen. Er folgte der Schrift mit dem Zeigefinger, las die ganze Zeit laut und langsam.

Er hatte eine so schöne Stimme. Das hatte sie ihm später auch gesagt.

Er hatte in diesen privaten Gesprächen von dem berichtet, was er ›die Rätsel der Vergangenheit‹ nannte. Er hatte ›*the great saltatory epidemics*‹ des Mittelalters in diese Rätsel eingeschlossen, die Tanzepidemien wie Sankt Veit, oder die sogenannte ›*chorea germanorum*‹. In dem Dossier hatte er Informationen über diejenigen unter seinen Patienten gesammelt, die aus bestimmten geographischen Gebieten stammten. Die von *diabolischen Transaktionen* in Mitleidenschaft gezogen waren, *die ausschließlich begrenzte Örtlichkeiten betrafen* – er las laut mit seiner schönen und ruhigen Stimme, und es herrschte eine eigentümliche Stimmung im Raum, in seiner Stimme und bei den grotesken wissenschaftlichen Funden, von denen er berichtete. *Ich erinnere mich besonders an eine Gelegenheit, bei der er von dem großen Jansenisten François de Paris erzählte, der im Alter von siebenunddreißig Jahren an selbstauferlegtem Hunger starb. Dieser war unter denjenigen, die sich aus religiösen Gründen in den heiligen Mantel des Hungers gekleidet hatten, eine Heiligengestalt geworden – und später hatten die Kranken, Armen und Hungernden sich an seinem Grab in Paris versammelt und durch Beten und Berühren des Grabsteins ihre Leiden zu lindern gesucht.*

Dort entstand schließlich eine Ansammlung von Zerlumpten und Elenden, die unter gewaltigen Konvulsionen, in Krämpfen und durch ekstatische Sprünge hoch in die Luft versucht hatten, diesen Heiligen anzurufen und Linderung und Gnade zu erwirken. Am Ende wurde dies der allgemeinen Moral zuviel. König Ludwig XV. hatte da, weil diese grotesken Theatervorstellungen auf dem stillen Friedhof ein solches Aufsehen erregt hatten, beschlossen, den Friedhof zu schließen, die Konvulsivischen festzunehmen und sie – eben in die Salpêtrière zu bringen!

Dies war im Jahr 1732. Blanche hatte ihn bei dieser Beschreibung unterbrochen und ausgerufen: Zauberei! Worauf Charcot mit einem eigentümlichen Lächeln, und beinah nur zu sich selbst, gesagt hatte: Ja, das ist Zauberei, aber die

Art von Zauberei, die ein Faden ist in dem Gewebe, aus dem unsere Leben gewebt sind.

Er hatte dann von dem 1638 gestorbenen holländischen Reformator Jansen berichtet, der von manchen für einen Ketzer gehalten wurde, und daß in Paris noch starke und geheime jansenistische Zellen existierten.

Er hatte mehrere von ihnen gekannt, hatte er gesagt, wie beiläufig, oder wie in dem vagen Versuch, Blanche auf ein Gelände zu locken, von dem er nicht sicher war, daß sie es betreten wollte.

Zauberei!

War dies wirklich nur Zauberei? fragt sie, als sammele sie Material für eine Verteidigung ihres Geliebten.

Charcot war ein Pionier auf dem Gebiet der neurologischen Krankheiten und leistete wesentliche Beiträge zur Erforschung von u.a. neuropathischen Entzündungen in den langen Nervenbahnen der Beine, ›Ratten unter der Haut‹, auch Charcot's disease genannt, und der multiplen Sklerose. Aber Blanches Verteidigungsrede ist ausweichend. *Er verabscheute die Engländer aufgrund der Fuchsjagden. Er fand jede Form von Tierquälerei abscheulich, dazu gehörte, meinte er, jede Form von Jagd.*

Ich fragte, warum. Er meinte, daß den Tieren, weil sie sich nicht der Liebe verdient machen mußten, oder auf jeden Fall weil sie so schutzlos waren, eine Liebe von in gewisser Weise religiösen Dimensionen zuteil werden sollte. Er hatte das Wort ›Agape‹ benutzt.

Daraufhin hatte sie gefragt: Und was ist mit mir? Er hatte geantwortet, fast empört: Aber verstehst du denn nicht!!!

Einem jungen Österreicher namens Sigmund Freud, der in den achtziger Jahren für zwölf Monate sein Sekretär war, berichtete er bei einer Gelegenheit über seine Entdeckung der multiplen Sklerose.

Durch Zufall war er mit einer Putzfrau in Kontakt gekommen, die an einer eigentümlichen Form von Schütteln litt, was zur Folge hatte, daß sie bei ihrer Arbeit ungeschickt war und deshalb jetzt arbeitslos. Charcot stellte die Frau in seinem Haus ein, diagnostizierte ihre Beschwerden zuerst als ›Chorea paralysis‹, bereits von Duchenne beschrieben, fand jedoch bald heraus, daß ihr sich langsam verschlechternder Zustand in eine andere und bis dahin unbekannte Richtung wies. Er behielt sie bis zu ihrem Tod als Hausgehilfin, trotz der Proteste seiner Ehefrau, und gelangte, indem er sie studierte, auf die Spur, die später zur endgültigen Identifizierung und Diagnose von multipler Sklerose führte, was auch bestätigt wurde, als die Hausgehilfin starb und Charcot, aufgrund dieses natürlichen Zugangs zur Leiche seiner Putzfrau, sogleich imstande war, sie zu obduzieren und seine Analyse bekräftigt zu finden.

Er akzeptierte somit ihre immer stärker hervortretende Ungeschicklichkeit bis zu ihrem Tod, wurde dadurch auf die richtige Spur geführt und machte ihre letzten Jahre zugleich erträglich und human.

Der Preis dafür war jedoch eine ungeheure Menge zerschlagenen Porzellans.

Blanche kommt im Fragebuch mehrmals auf Charcots Hausgehilfin zurück, die an multipler Sklerose litt und einen großen Teil von Charcots Porzellan zerschlug, ohne getadelt zu werden.

Betrachtete er auch Blanche als eine solche Patientin? War es im übrigen wirklich natürlich, nach dem Tod den Körper seiner geliebten Hausgehilfin aufzuschneiden? War es nicht gerecht, fragt sie an mehreren Stellen, daß sie da selbst die Rolle des Arztes einnahm und er die des Patienten, des Beobachteten, Diagnostizierten und Unterlegenen? Liebe und Machtspiel sind ja nie voneinander zu trennen, wie sie einmal gesagt hatte.

Er hatte sie angestarrt, vollkommen außer sich vor Wut, und verärgert den Raum verlassen.

Wie wenig sie verstanden hatte, nach all diesen Jahren mißlungener Experimente! Hatte er später zu ihr gesagt, als Erklärung für seinen Ausbruch.

Sie hatte daraufhin nur gefragt:

»Mißlungen?«

6.

Keine exakten Erklärungen, oder Datierungen, wann die Konflikte in Liebe übergehen.

Plötzlich eine Aufzeichnung im Fragebuch, die eine veränderte Situation erkennen läßt.

Am 22. Februar 1886 war Charcot zu ihr hereingekommen, hatte sich gesetzt und ihre Hand genommen.

Er hatte ganz still und schweigend dagesessen und nichts gesagt.

»Was willst du«, hatte sie nach längerem Schweigen gefragt.

Er hatte daraufhin nur behutsam ihre Hand gestreichelt und geantwortet:

»Nichts auf der Welt, oder im Himmel, wenn es ihn gibt, habe ich so begehrt wie diese Hand. Die Haut. Den Knochen. Das Skelett. Ich weiß, wie alles aussieht, die Bestandteile. Aber warum begehre ich gerade diese Hand? Ist sie das Geheimnis, Blanche, ist die Hand das Geheimnis?«

»Das Geheimnis?« hatte sie gefragt.

»Ja«, hatte er geantwortet. »Ich kann nicht schlafen, ich kann nicht denken, ich glaube, ich bin ebenso besessen wie die, die ich behandle. Ich verstehe es nicht. Darf ich eine Weile bei dir sitzen?«

»Warum?« hatte sie da gefragt.

»Es ist eine Qual, ich denke nur an dich.«

»Eine Qual?«

»Tag und Nacht.«

Sie hatte nicht gewußt, was sie antworten sollte, ob die Qual, die er beschrieb, wirklich sie selbst war, oder ob er versucht hatte, etwas anderes zu sagen, das sie vielleicht freuen sollte. Lange war es still gewesen im Zimmer. Er hatte nichts getan oder gesagt, nur ihre Hand gehalten und sie leicht gestreichelt.

»Was willst du«, hatte sie gefragt. »Willst du verstehen, wie es zusammenhängt?«

»Nichts erfüllt mich mit solcher Verwirrung und Angst wie diese Hand.«

»Was soll ich tun«, hatte sie gesagt.

»Bleib sitzen.«
»Ist das alles?«
»Bleib sitzen.«

Weit später:

Sie hatte gesagt: Ich bin nicht einfältig, ich weiß, daß du mich liebst, aber unsere Liebe ist theoretisch unmöglich.

Darauf hatte er zu ihr gesagt:

»Theorie ist gut, aber sie vermag es nicht, die Wirklichkeit aufzuheben.«

Sie hat noch eine andere Formulierung, später im Fragebuch: Theorie ist gut, aber sie löscht die Wirklichkeit nicht aus. ›La théorie, c'est bon, mais ça n'empêche pas d'exister.‹

Er benutzt wirklich dieselbe Formel, wenn er von seiner Wissenschaft spricht, und von seinen wissenschaftlichen Einwänden gegen eine Hypothese. Theoretisch ist dies Wahnsinn. Aber es existiert!

Er liebte sie ja. Er fand, daß sie so schön war.

7.

Man muß sich Blanche als ein junges Mädchen vorstellen, dessen sämtliche Erfahrungen von geringem Wert gewesen waren.

Und da wurde sie von einer plötzlichen, wahnsinnigen und ganz unschuldsvollen Liebe überrascht, die dieser ältere Herrscher über ein geisteskrankes und furchterregendes Frauenschloß *ihr zu Füßen legte wie ein Gebet.* Oder ein Opfer? Vielleicht beschmutzt von all dem, was sie zuvor gesehen und gefürchtet hat, und aufgezeichnet. *Was Schmerzen an den Eierstöcken betraf, die sog. Ovariumsymptome, konnten folgende Methoden zur Anwendung kommen. Wenn die Patientinnen – auf eigenen Wunsch – die Behandlung dieser Unterleibsschmerzen verlangten, konnte dies vermittels Anwendung von Druck, Pressen, festen Schlägen oder, in gewissen Fällen, vermittels ›Schwertschlägen‹ geschehen, wobei mit Schwertern, unter Anwendung der Breitseite, gegen den Bauch geschla-*

gen wurde, bis die Schmerzen abnahmen. In der Geschichte der Medizin war dies eine übliche Methode bei der Behandlung solcher Schmerzen, aber Charcot hatte darauf hingewiesen, wie wichtig es war, daß das Blatt nicht gedreht wurde, da sonst Schnittwunden und Blutungen im Unterleib auftreten konnten. Er verwies im übrigen auf seinen Schüler Désiré-Magloire Bourneville, der in seinem Buch ›Science et miracle‹ den langen Weg des Wunders in die moderne Wissenschaft ausführlich behandelt hatte; aber wie sollte sie sich vor dem, was sie sah, schützen können! und wie sollte sie verstehen können, daß dieser Herrscher des Schlosses, Professor Charcot, ihr gegenüber so hilflos war!

Und was war es, was er bei ihr suchte?

Suchte, und fand.

Sie scheinen sich in seinem Arbeitszimmer in der Salpêtrière getroffen zu haben, immer keusch jeder auf einer Seite des Schreibtischs, nie intim, mit gedämpften Stimmen miteinander sprechend.

Man muß sich vorstellen, daß diese leisen Stimmen eine Intimität besaßen, wie Haut an Haut. Warum hätten sie es sonst unterlassen, einander zu berühren? Doch, es ist wahr, die Hand, einmal hatte er ihre Hand gehalten. Aber bei den medizinischen Demonstrationen, wenn alle zusahen? Nein, er ließ nur seine Assistenten die hysterogenen Punkte berühren. Nie selbst.

Aber hier: Abstand, und äußerste Nähe.

Was war es, was er bei ihr suchte? Und wie erklärte er ihre Rolle bei den öffentlichen Experimenten, wenn sie wie eine Maschine auf einen somnambulen Zustand eingestellt, und später wieder aufgeweckt wurde? Was war der Sinn?

Charcot hatte ihr einmal erklärt, daß er von einer Situation geträumt habe, in der der Mensch, *der eigentliche Mensch,* von dem, was ihn umgeben, oder eher geschaffen hatte, befreit werden konnte. Er benutzt zuweilen das Wort ›Maschine‹ synonym mit ›wie ein Tier‹. Also mit reineren Gefühlen als der Mensch.

Reinheit! So furchterregend.

Er hatte Blanche erklärt, daß die Idee, oder die Ideen, die den Menschen im Laufe seines Lebens geformt und verändert hatten, auf diese Weise, im hysterischen Zustand, abgewiesen werden konnten. Man stülpt, bildlich gesprochen, eine Glasglocke über den Menschen, *über den Menschen, wenn ein solcher wirklich existiert.* Über seine Erziehung, seine soziale und angeeignete Kompetenz; das gesamte menschliche *Regelwerk* würde von ihm isoliert werden, und nur der ursprüngliche Mensch zurückbleiben. Also sein *Ego.*

Und er hatte hinzugefügt: *Erst dann können wir den Menschen in gewissem Maße als eine Maschine vor uns sehen, wie La Mettrie sie einmal herbeigeträumt hat.*

Sie hatte gefragt: Die Punkte, die du an meinem Körper kennzeichnest, die Punkte, die du drückst, oder die du deinen weißgekleideten Sklaven zu drücken befiehlst, und an denen die katatonischen Anfälle hervorgerufen werden, das sind also Punkte, die in *mein eigentliches Ich* hineinreichen – und die dieses Ego zum ersten Mal in all seiner einfachen, vielleicht furchterregenden, aber doch deutlichen Klarheit hervorrufen?

Gewissermaßen, hatte er geantwortet.

Bin ich dann, indem ich eine Maschine bin, befreit vom Schmutz des Lebens?

Vielleicht, hatte er geantwortet. Aber du bist in gewissem Sinne deinem menschlichen Ich näher, als du es je warst.

Als wäre ich ein Tier? hatte sie gefragt.

Gewissermaßen, hatte er aufs neue gesagt, gedämpft, und mit Liebe.

8.

Einmal, im Frühjahr 1888, hatte es einen Konflikt zwischen ihnen gegeben.

Blanche schreibt nicht, welcherart, aber er hatte dazu geführt, daß sie ›schreiend‹ aus seinem Zimmer gestürmt war und Charcot danach im Zorn die Behandlungen seinem Kollegen Jules Janet überlassen hatte. Blanche stand bereits da in dem Ruf, über eine szenische Gestaltungsfähigkeit ähnlich der von Sarah Bernhardt zu verfügen, und der junge Janet hatte, um seine Umgebung zu beeindrucken, ein aus Juristen, Forschern und Spezialisten für Gerichtsmedizin bestehendes Publikum einberufen, um mit Blanches Hilfe die Frage zu lösen, oder in jedem Fall zu beleuchten, inwieweit *eine Frau in somnambulem Zustand ein Verbrechen verüben konnte.*

Blanche war großartig gewesen.

Sie hatte gehorsam und mit theatralischer Gewalt die blutdürstigsten Aufträge ausgeführt, wie Messermord, Pistolenmord und Giftmord. Als die geladenen Honoratioren den Schauplatz verließen, war dieser, bildlich gesprochen, mit Leichen und Körperteilen bedeckt, und die Vorstellung hatte klar erwiesen, daß die somnambule Hysterikerin eindeutig imstande war, kriminelle Handlungen zu begehen.

Einige von Janets Studenten waren indessen noch geblieben, und einer von ihnen hatte, wie es Art der Studenten ist, der noch somnambulen Blanche gesagt, sie sei allein im Zimmer und solle sich jetzt ausziehen und ein Bad nehmen. Blanche hatte da einen Wutanfall bekommen, geschrien, der Vorschlag des Studenten sei schändlich, und hatte den erschrockenen Jüngling aus dem Raum gejagt.

Blanches Wutanfall hatte so lange gedauert, daß Charcot hinzugerufen wurde, und Blanche hatte mit verbissener Miene und mit einer Ruhe, die Charcot als beinah tödlich bedrohlich empfand, eine Erklärung verlangt, warum er untreu gewesen sei. Charcot hatte nicht verstanden, doch sie hatte das Wort ›untreu‹ wiederholt und damit offenbar gemeint, daß er sie der Behandlung durch einen anderen Forscher überlassen hatte.

Dies sei eine Schändlichkeit gewesen, und eine Treulosigkeit, und sie war erniedrigt worden. Er hatte sie daraufhin gefragt, was der Unterschied gewesen sei, da sie ja auch bei ihm vor Publikum auftrete. Sie hatte daraufhin versucht, ihn zu schlagen.

Es war eine lange Auseinandersetzung gewesen. Nach und nach waren ihre Stimmen leiser geworden. Die Lauschenden im Flur hatten den Eindruck gehabt, daß beide am Ende schwiegen.

Sie hatten dann den Raum verlassen, man sah, daß beide geweint hatten.

Im Fragebuch Andeutungen von Eifersucht, oder Machtkampf.

Blanche war schon früher bei Jules Janet in Behandlung gewesen.

Erst im Januar 1886 war sie in die Behandlungssektion Hôtel-Dieu in der Salpêtrière überführt worden – Charcot war eine Zeitlang krank gewesen – und dort hypnotisiert worden. Sie war dort ›mesmeristischer Passage‹ unterzogen, aber auch noch bis zu einem unklaren Status weitergeführt worden, man nahm an, es handele sich um Gurneys tiefes Stadium. Man hatte versucht, dieses durch Azams Variante des kompletten Somnambulismus zu ergänzen, später durch eine Mischung von Azam und Sollier, aber Blanche war beim Aufwachen einen Tag später in einem unerklärlich gespaltenen Zustand verblieben, der in der Krankenakte mit Blanche 1 und Blanche 2 bezeichnet wurde.

Als Blanche 1 war sie sehr beweglich und spastisch gewesen, nahezu liebevoll. Als Blanche 2 war sie sehr still und traurig gewesen und hatte darum gebeten, *zu Charcot zurückkehren zu dürfen.*

9.

Eines der seltenen Zeugnisse über Blanche Wittman nach Charcots Tod findet sich in A. Baudoins ›Quelques souvenirs de la Salpêtrière‹, Paris Médicales 26: 517-520.

Er hat sich ihr über Bekannte von Marie Curie genähert, und nach einigen Monaten – sie ist inzwischen weitgehend amputiert und nur ihr linkes Bein ist noch nicht entfernt worden – wagt er sich an die entscheidende Frage.

Man kann ergänzen, daß Marie während des Gesprächs nicht anwesend ist.

Er stellt die Frage, ob sie sich bei den somnambulen oder hypnotischen Zuständen nicht eines gewissen Grades an Betrug bewußt gewesen sei. Ob die Anfälle, und die katatonischen Zustände, nicht simuliert gewesen seien. Sie antwortet eiskalt, und ohne die Stimme zu heben:

»Simuliert? Glauben Sie, es wäre so leicht gewesen, Professor Charcot zu betrügen? O ja, es gab viele Frauen, die versuchten, ihn zu betrügen. Da gab er ihnen nur einen Blick, und sagte: Sei still!«

Ein halbes Jahr später hatte Baudoin in einer Zeitung gelesen, daß sie tot war. Das Gespräch muß also irgendwann 1912 stattgefunden haben. Es ist das einzige dokumentierte Interview mit Blanche nach dem Tod Charcots, der einzige Text, der das Fragebuch ergänzen kann.

Gib nicht auf.

Ich hoffe noch immer, daß Blanche einen heimlichen oder verborgenen Plan in ihrem Fragebuch hatte, der es zusammenhängen ließ. Die hysterischen Anfälle müssen irgendwann nach ihrem siebzehnten Geburtstag angefangen haben. Die ersten Diagnosen deuten Epilepsie an, aber man sieht rasch ein, daß es so ›einfach‹ nicht ist. Und dann die Bilder von ihr, also das Gemälde, und die einzige Fotografie.

Aber hinter den Bildern ein anderes Bild.

Jemand, der strickt, jemand der in sich selbst verschlossen über ein Leben nachgrübelt, das langsam verronnen ist, jemand, der einen Fäustling häkelt, es kann während des Zweiten Weltkriegs sein, es muß so sein, sie häkelt einen Fäustling mit einer Öffnung für den Abzugfinger, sicher etwas, das während des finnischen Winterkriegs zu den finnischen Soldaten geschickt werden soll.

Wie heißt sie? Sie häkelt einen Fäustling. In der Nacht unerklärliches Schluchzen, das das Kind erschreckt.

Eines Abends hatte Charcot sich bei Blanche Wittman beklagt und gesagt, daß die Salpêtrière in Glaubensfragen doch nie mit Lourdes konkurrieren könne.

Blanche hatte ihn gefragt, was er mit dem eigentümlichen Wort ›Glaubensfragen‹ meine, und er hatte daraufhin ausweichend von François de Paris und seinem Grabplatz zu erzählen begonnen, und wie sein eigener Vater ihn zum Jansenisten erzogen habe.

Blanche hatte dies Marie Curie erzählt. Danach war deren Interesse für das Problem Lourdes geweckt worden *und dadurch veränderte sich ihre rigide Einstellung zur Kernphysik.* Was für eine lustige und im Grunde geschichtslose Behauptung.

Plötzlich verblüffende Aufzeichnung im Fragebuch, ein anderer Ton:

Und Charcot sagte: Ein Wundertäter kann zu seinem Patienten sagen: Stell dich auf deine Füße und gehe! Warum sollten wir dann bei diesem Spiel nicht mitspielen, wenn es dem Patienten nützt? Ich aber sage euch: Tuet nie dergleichen, außer in gewissen, einzigartigen Ausnahmefällen. Das ist, wenn du dir deiner Diagnose ganz und gar sicher bist. Sonst nicht. Ich sage euch: Prophezeie nie, wenn du es nicht weißt.

Ein Aufklärer mit dem einen Fuß im Okkultismus. Die Furcht dieser Aufklärer vor dem Unbekannten! Diese Vorbehalte und Schutzmaßnahmen! *Prophezeie nie, wenn du es nicht weißt.*

Aber dann!

Er schien die Liebe als Krankheit zu betrachten, die hervorgerufen werden konnte.

Das erste Mal, als er sie anrührte, wurde nicht Blanche, sondern er selbst vollkommen still. Es war am 22. März 1878. Er hatte sie gesehen, als sie im Monat zuvor in die Salpêtrière aufgenommen worden war und von Charcots Freund, dem Arzt Jules Janet, ihre Diagnose erhalten hatte. Jetzt sah er sie also zum zweiten Mal.

Charcot hatte langsam ihre Krankenakte gelesen, ohne den Blick zu heben, dann hatte er aufgeblickt und sie betrachtet.

»Blanche«, hatte er gesagt, »in der Krankenakte steht, daß du kurzsichtig bist. Stimmt das?«

Sie hatte vor ihm auf einem Stuhl gesessen, war seinem Blick begegnet und hatte gelächelt. Er hatte dann darum gebeten, ihre Hand halten zu dürfen, um, wie er sagte, zu untersuchen, ob Krämpfe die langen Nervenfasern beschädigt hätten. Sie hatte ihm da ihre Hand gereicht.

Danach dauerte es bis zum 16. August 1893, bevor er sie besitzen durfte. So lange dauerte es.

Sie hatte auf die Frage nach der Kurzsichtigkeit nicht geantwortet, und er hatte nicht mehr gefragt. Aber von diesem Moment an, der in der Wirklichkeit fast zwei Stunden dauerte, von diesem Moment an hatte er sie geliebt, und er wußte es nicht.

Und von diesem Moment an sollte sie sein Leben verändern.

Im übrigen stimmte es. Sie war kurzsichtig.

10.

Jedoch. Sie nähern sich. Sie fangen bald an.

Es gibt nur einen ausführlichen Bericht, in dem es ausdrücklich heißt, daß Charcot gerade Blanche Wittman als Versuchsperson verwendet. Unzählige andere beschreiben Experimente, bei denen die Frau anonym ist.

Aber hier ist es ›Witt‹.

Charcot hatte, der Einleitung des Protokolls zufolge, vor der öffentlichen Behandlung ein Gespräch mit Blanche geführt. Er hatte ihr dabei die Ovariumpresse gezeigt, *die er vielleicht anwenden würde.* Sie war aus Leder und mit Metallschrauben versehen. Sie wurde über dem Unterleib der Frau angebracht und mit Lederriemen um ihren Rücken gespannt. Beide Schrauben hatten ein schützendes Lederkissen. Wenn sie dann langsam angezogen wurden, drückten die Lederkissen die Gebärmutter der Frau zusammen. Die Ovariumpresse wurde über dem entblößten Bauch der Frau angebracht und wurde dann gegen das hysteroide Zentrum gepreßt, um die Anfälle zu stoppen.

Auf diese Weise sollte die unglückliche und hilflos alleingelassene Frau zur Ruhe kommen, mit Hilfe dieser Erfindung, die unter dem Namen Ovariumpresse in die Medizingeschichte eingegangen ist.

Die Ovariumpresse, hatte er gesagt, ist kein Wundermittel, sie kann nur dazu genutzt werden, die Anfälle zu hemmen. Und es gibt so viele Mißverständnisse bezüglich dieses rein mechanischen Hilfsmittels. Ich habe nicht die Absicht, sie heute anzuwenden. Er war dann immer wütender geworden. *Diese Ovariumsfixierung! Als ob alles Böse von den Eierstöcken oder der Gebärmutter käme! Und weggeschnitten werden könnte!*

Er hatte zunächst leise und überzeugend gesprochen, dann offenbar erregt, aber warum hatte er mit ihr gesprochen? Jemand muß im übrigen Protokoll geführt haben, eine dritte Person befand sich also im Raum. Im Fragebuch wird dasselbe Gespräch wiedergegeben, aber persönlicher, als habe es diese dritte, rätselhafte, im Protokoll anonyme Person nie gegeben. Es war etwas Kindliches in seinen Augen, schreibt sie, *wenn er sich bei diesen Gelegenheiten erlaubte oder dazu herabließ, mit mir zu sprechen.* Die Augen eines Kindes, als habe er Angst, oder appelliere an sie, oder wolle sie dazu bringen, zu verstehen, oder fühle sich schuldig.

Schuldig? schuldig!!! War das vielleicht der Grund, warum er mit ihr sprach?

Die schlimmsten Mißverständnisse kommen aus Amerika, hatte er gesagt, *dort sind sie verrückt nach dem Messer, sie operieren die Gebärmutter heraus, schneiden die Schamlippen ab, sie entfernen die Klitoris. Sie meinen, die Ovarien der Frau könnten im Körper wandern, und die Entfernung der Eierstöcke könne alles von epileptischen Anfällen bis zur Hysteroepilepsie heilen. Ein Doktor Spitzka von der American Neurological Foundation hat angedeutet, ich, der ich nichtoperative Wege zur Gesundheit suche, sei geisteskrank, aber ich werde nie in dir herumschneiden, Blanche. Du kennst mich. Ich benutze nie Versuchstiere, ich liebe Tiere, ich würde die Frau nie wie ein Tier benutzen!*

Sie hatte ihn an diesem Punkt unterbrochen und gesagt, *als ich fünfzehn Jahre alt war, verlor ich meine Mutter, die ich sehr liebte, bei einem Unglück an einem Flußübergang, und der Schmerz, den ich damals empfand, hat sich vielleicht in meinem Inneren eingekapselt, und ruft jetzt diese Krampf-*

anfälle hervor. Er hatte sie einen Augenblick verwirrt angestarrt, als verstehe er den Zusammenhang nicht, aber danach begonnen, mit einem stumpfen Tintenschreiber die Druckpunkte an ihrem Körper zu markieren.

Er hatte erklärt, daß er vermittels Druck auf diese Punkte die Zustände bei ihr hervorrufen wolle, die in gewisser Weise die heilenden katatonischen Zustände imitieren *oder restaurieren* sollten. Er hatte gesprochen, während er diese Punkte markierte, immer erregter gesprochen. *Man hat mir vorgeworfen, in diesem Krankenhaus eine Krankheit hervorzurufen, die in Wirklichkeit gar nicht existiere! Daß es diese Krankheit nur in meinem Kopf gebe! Aber es gibt sie! Ich bitte dich, betrachte die Welt außerhalb der Salpêtrière, die nie mit mir oder diesem Krankenhaus in Kontakt gekommen ist! Betrachte diese Elenden, Frauen und Männer! Ich sage dir, diese hysterischen Krankheiten gibt es auch bei Männern!*

In Deutschland hatte man ihn verhöhnt und geschrieben, daß es diese hysterischen Krankheiten *dann wohl nur bei französischen Männern gebe, die feminisierter seien!* Er hatte entgegnet, daß alle diese Krankheiten auch bei den stärksten Männern anzutreffen seien! bei Grubenarbeitern und Zimmerleuten! *Nein, nie würde ich mir träumen lassen, ein Leiden hervorzurufen, das nicht existiert, nein, ich bin ein anderer. Ich bin ein Fotograf der Menschheit, ich beschreibe, was ich sehe.*

Ich bin eine Kamera, und jetzt bezichtigt man diese Kamera der Lüge.

Er sagt tatsächlich, ›*ich bin eine Kamera*‹. Aber nicht in den dreißiger Jahren der deutschen Dekadenz, wie bei Isherwood, sondern in der Salpêtrière!

Europa! dieses phantastische Europa!

Es war ein erregter Monolog geworden. Er schien verzweifelt zu sein. Blanche hatte die meiste Zeit schweigend dagesessen.

Das Publikum wartete. Immer ungeduldiger. Er wollte nicht zu ihnen hinausgehen.

Was siehst du denn in mir, hatte sie gefragt. Ich sehe dich, hatte er nach einem langen Schweigen gesagt. Ich bin der erste, der dich sieht, und deshalb gehen wir jetzt hinein zu dieser Vorführung. Ich habe gefragt, was du siehst, hatte sie gesagt. Wenn ich das wüßte, hatte er nach langem Schweigen gesagt. Wenn ich es nur wüßte. Aber du gehst mit hinein? hatte er gefragt, fast flüsternd, wie ein Kind.

Und so waren sie zusammen hineingegangen zu der Vorlesung und Demonstration, die Charcot am 7. Februar 1888 um drei Uhr am Nachmittag hielt.

11.

Sie hatte ja gelernt, daß man nicht danach suchen durfte, wie es war, sondern wie es sein sollte.

Man war selbst verantwortlich.

Man mußte jedoch lernen, sich mittragen zu lassen. Dann wurde man am Ende ein Teil dessen, wie es sein sollte. ›Wie es sein sollte‹ war die eigentliche Lösung. Dann war es leicht und weich und widerstandslos. Dann war es möglich, es durchzustehen.

Am Anfang jeder Vorführung gab es immer einen Augenblick, der *niederdrückend* war, bevor sie sich an die Zuschauer gewöhnt hatte, den feindlichen Dschungel, die Raubtiere, die sie betrachteten. Dann verschwanden die Raubtiere, sie trat ein in das, was war, wie es sein sollte, *tritt nur die Reise durchs Laubwerk an! und geh schmetterlingsgleich! nein, flattere ihm entgegen! wie damals im Mai, als wir uns begegneten und dann inniglich einander berührten, doch ohne! doch ohne zu!*

Es war 15.01 Uhr, und sie trat die Reise an.

Sie wußte, daß sie bald durch die Bäume hindurch Wasser erkennen würde. Vielleicht war es ein Fluß, oder ein Strand, vielleicht ein Meer, nein, es war ein Fluß. Man mußte vorsichtig gehen zwischen den Bäumen, durchs Laubwerk, damit man es hinauszögerte. Es würde sich langsam öffnen, beinah atemlos. Sie würde leicht gehen und schwerelos, schweben fast, wissen, daß sie ein Schmetterling war, ist *Blanche nicht der Name einer Schmetterlingsart?* einer, der genauso langsam und absichtslos seinen Weg durchs Laubwerk suchte, wie Schmetterlinge auf der Flucht sich bewegten, zwischen den Zweigen und Blättern. Und dann würde man mehr und mehr vom Wasser sehen.

Das ein Fluß war.

Wenn sie das Auditorium betrat und das Publikum sah, war es schön zu wissen, daß sie bald durch das Laubwerk fliegen würde. Charcot wußte es vielleicht auch. Er hatte in der letzten Zeit die Einleitung immer kürzer gemacht, er wußte sicher, daß sie die Augen schließen würde, und daß es dann wurde, *wie es sein sollte.*

Es war wichtig, in das einzutreten, was *atemlos* war. Wie es sein sollte.

Charcot hatte eine so ruhige und schöne Stimme, das hatte sie immer gefunden. Es störte sie nicht, daß er sprach. *Diese Patientin, die für die Demonstration zur Anwendung kommt, ist jedoch keine Maschine, möchte ich Ihnen eingangs noch sagen, deshalb kann der Versuch mißlingen. Der Mensch ist weniger vorhersagbar als eine Maschine, das ist es, was uns zu Menschen macht. Auch Experimente mit Tieren vor einem Auditorium unterscheiden sich von Experimenten im Laboratorium unter kontrollierten Bedingungen. So auch hier. Diese Patientin, die schwer an hysteroiden Anfällen und Krämpfen litt, hat einen hysterogenen Punkt auf dem Rücken, einen anderen unter der linken Brust, einen dritten an ihrem linken Bein, und die Schlußphase der heutigen Behandlung, die als ein Teil des Heilungsprozesses gedacht ist, wird dann vielleicht ein extremer Opistotonus sein, also ein klassischer arc de cercle. Mein Assistent wird vor allem den Punkt auf ihrem Rücken berühren.*

Sie wußte, daß es kommen würde, und sie war darauf vorbereitet, daß es kommen würde.

Es war eine Zeremonie, die am Anfang schwer war, und die dann wurde, wie es sein sollte. Es dauerte ein paar Minuten, genau in dem Moment, in dem sie durch die Tür trat, war es am schlimmsten, wenn das Gemurmel erstarb und die

Blicke aller sich auf sie richteten, auf sie, von der jetzt alle sprachen, die Berühmte! das Medium! Die Frau, die Blanche genannt wurde, und die eine so eigentümlich ergreifende Schönheit besaß. Die Königin unter den Hysterikerinnen! Und die sich dann, plötzlich, vor ihren Augen in die Frau mit den vielen Gesichtern verwandeln und Blanche 2 und Blanche 3 und Blanche 12 werden konnte, sie, die ihre geheime Vermutung bekräftigte, daß nicht nur diese Frau, sondern alle Frauen viele Gesichter hatten. Und daß das Erschreckende, das alle geahnt hatten, nämlich daß es etwas außerhalb ihrer Kontrolle! außerhalb jeglicher Kontrolle! gab, daß dies Erschreckende jetzt vielleicht gebändigt, oder wissenschaftlich begreifbar gemacht werden konnte.

Er hatte eine so schöne Stimme.

Der Assistent hatte den hysterogenen Punkt berührt, doch nicht den auf dem Rücken, wie Charcot gesagt hatte, sondern den unter ihrer linken Brust. Das machte nichts.

Sie war bereit, sie war angetreten.

Sie würde durch den Wald gehen, der aus Laubbäumen bestand, sie würde wieder fünfzehn Jahre alt sein, es würde dieser entscheidende Frühling und Sommer sein. Immer nachmittags.

Laubbäume.

Ich gehe jetzt, ich gehe jetzt, gleich öffnet sich der Wald, und sie würde den Weg zum Ufer des Flusses suchen, und dort würde der Junge auf sie warten, und er würde sagen, wenn er sie durch die Bäume kommen sah, *daß sie ein Schmetterling wäre, der vom Himmel geflohen war,* denn das war das Schönste, was man sagen konnte. Deshalb würde er es sagen.

Sie schloß die Augen und trat in ihre tonische Phase ein und ging durch Wald.

Wieder einmal war es ihr gelungen zu fliehen. Wald. Wasser. Sie sah ihn durch die Bäume, hielt inne, es war, wie es sein sollte. Es war ganz richtig. Er stand barfüßig ein paar Meter im Wasser, hatte die Hosenbeine bis zu den Knien aufgerollt, wandte ihr den Rücken zu und sah ins fließende Wasser. Sie trat aus dem Uferwald heraus. Das Ufer war menschenleer. Sie waren allein, es war, wie es sein sollte. Die Uhr zeigte 15.12, Blanche 2 befand sich in einer experimentellen Situation in der Salpêtrière und wurde Witt genannt, doch sie war ein Schmetterling, der vom Himmel geflohen war, es war jetzt 15.17 Uhr und sie rief nach dem Jungen, der sich umdrehte und lächelte.

Sie war rechtzeitig gekommen. Er war ein Junge, der fast ein Mann war, und er lächelte sie an. 15.18 Uhr.

Beim ersten Mal, als sie sich im Dorf getroffen hatten, hatte sie gefunden, daß er so lieb war, und er hatte so schön gelacht und gesagt, er wolle ihr ein Gedicht schreiben, und eines Tages im Frühjahr war er mit seinem Gedicht gekommen. Auf einem Zettel geschrieben, auf der Rückseite eines Besorgungszettels, den er mitnehmen sollte zum Kaufmann, und es fing so schön an. Sie würde sich immer an die erste Strophe erinnern:

Du bist wie ein Schmetterling, der vom Himmel geflohn,
hast dich gelangweilt dort oben,
willst spielen mit mir. Du flatterst mir entgegen
und bist ein wenig ängstlich.
Aber ich weiß, wer du bist. Gottes Schmetterling, verkleidet.

Gottes Schmetterling, verkleidet. Das war Blanche. Das war etwas, wovon man ein ganzes Leben lang zehren konnte, hatte sie viel später gedacht.

Dann hatte sie es ihn mehrfach sagen hören, daß sie ein vom Himmel geflohener Schmetterling war. Und daß sie verkleidet war. Das Wort verkleidet war so schön. Es bedeutete, daß sie sich verstecken konnte, in sich selbst. Danach hatten sie begonnen, sich am Ufer zu treffen. Er pflegte als erster zu kommen, und er wartete auf sie. Es war so groß und rein, aber vor allem rein. Darum hatte sie angefangen, zu ihm zurückzukehren, wenn die wilden Tiere sich in der Salpêtrière versammelten und sie ansahen, bevor sie mit den Augen über sie herfielen. Das war jetzt.

Laubwerk. Wasser. 15.22 Uhr.

Sie ging durchs Laubwerk, und trat ans Ufer und wußte, daß sie ein Schmetterling war, verkleidet. Sie hatte dem Jungen gesagt, der bald erwachsen war, wie sie, daß er sie fast nicht berühren dürfe, denn mit einem Schmetterling müsse man vorsichtig sein. Deshalb war es so schön und rein geworden. Es war wichtig, daß es rein war. Jetzt war sie durch Wald und Laubwerk gegangen und ans Ufer des Flusses getreten und hatte nach ihm gerufen. Er drehte sich um und kam auf sie zu, während sie am Ufer wartete.

15.24 Uhr. Sie setzte sich, ins Gras am Flußufer.

Er war braungebrannt und sie wußte, daß seine Haut weich war und daß sie sich auf ihn verlassen konnte, und daß das die Voraussetzung war. *Diese Patientin war noch vor einer Minute, wie Sie beobachten konnten, ganz starr, die Starrheit trat sehr schnell ein, was ungewöhnlich ist, und sie dürfen daraus keine übereilten Schlüsse ziehen, weil jeder Patient sein individuelles Muster hat – daß eine Schlußphase eintritt, die ans Delirium erinnert, ist also ungewöhnlich, aber durchaus möglich, nicht die traditionellen Muster sind die gewöhnlichen, sondern sie sind die ungewöhnlichen, und deshalb muß,* und der Junge stand einen Augenblick vollkommen still vor ihr und sah sie an. Sein Oberkörper war nackt, er war braungebrannt, sie wußte, daß er fünfzehn Jahre alt war, wie sie selbst, aber bei sich nannte sie ihn den Jungen.

Es war jedesmal das gleiche. 15.26 Uhr.

Sie ging durch Laubwerk und sah das Wasser, dann gelangte sie ans Ufer des Flusses und er stand draußen im Wasser, drehte sich um, lächelte und kam auf sie zu.

Sie lagen nebeneinander im Gras.

Sehr vorsichtig knöpfte er ihre Bluse auf, faltete sie zusammen und legte sie neben sie. Er rührte mit der Rückseite seiner Hand an ihre Brüste. Das gleiche galt für alle ihre Begegnungen, er durfte sie streicheln, sie durfte ihn streicheln, das war alles. Und das war auch alles, wußte sie, das Allerhöchste und Reinste, nichts konnte darüber hinausgehen. Es würde immer Nachmittag sein und schräg einfallende Sonne. Die Sonne würde durchs Laubwerk fallen und nicht brennen, sondern voll von Schatten sein und sie beide am Ufer des Flusses umspielen. Er hatte keinen Namen. Rühr mich an, sagt sie, aber nicht mehr. Du darfst nicht alles tun, aber das reicht.

15.38 Uhr. Es geschieht gerade jetzt. Wie es geschehen muß.

Behutsam; die Hand des Jungen gleitet über ihre Brüste, und sie bewegt die Hand über seinen Rücken, und es ist schön. Als die Sonne sinkt, kann man das Geräusch von Wasser an den Ufersteinen hören. Es ist, als wölbe sich eine Glasglocke über ihnen, und er sagt, du darfst tun, was du willst. Da tut sie es, sie streichelt mit der Hand da, wo sie streicheln will, ist es schön, sagt sie. Ja, sagt er, einmal werden wir alles tun, nicht wahr?

Sie antwortet nicht. Sie ist durch Wald und durch Laubwerk gegangen, bedenkenlos wie ein Schmetterling, ausgerissen, aber ihres Ziels bewußt. Sie ist vollkommen geborgen und sie fühlt, daß ihr Schoß warm ist, und daß es in dieser Wärme nicht die geringste Furcht gibt. Wir tun, was wir wollen, sagt sie, und eines Tages, eines Tages werden wir alles tun. Sie berührt ihn und jetzt liegt er ganz nackt neben ihr und er zieht sich zusammen wie in einem Krampf und dann liegt er ganz still neben ihr und sieht geradewegs in den Himmel hinauf. Von dort oben bist du geflohen, sagt er, was möchtest du, was soll ich tun. Du sollst tun, sagt sie, was man mit einem Schmetterling tun darf, der vom Himmel geflohn, hat sich gelangweilt und will spielen mit dir. Und ein wenig ängstlich ist, sagt er.

Aber ich sehe, wer du bist. Ein Schmetterling Gottes, verkleidet.

Ja, sagt sie. Vorsichtig. Vorsichtig.

Es ist fast Dämmerung und es ist schön und sie will nie aufwachen, *lassen Sie uns noch einmal Druck auf einige der hysterogenen Punkte ausüben. Wir können mit der Ovariumpresse warten. Wie Sie sehen, übt mein Assistent einen gewissen, doch nicht schmerzenden Druck auf Punkte in der Ovariumregion aus. Beachten Sie den Ausdruck von Schmerz, der plötzlich, und ganz ohne physiologischen Anlaß, in Erscheinung tritt. Patientinnen können zuweilen Ausrufe wie* **Mama, ich habe Angst!** *von sich geben. Beachten Sie den gefühlsmäßigen Ausdruck, sehen Sie hier einen* **arc**, *wenn wir zuließen, daß er andauerte, könnte es zu Schä-*

den kommen, beachten Sie jetzt eine plötzliche Ruhe, beinah Entschlossenheit, das statische, kontrahierte Stadium jetzt in Auflösung.

Die Sonne war verschwunden, Dämmerung. Welch eigentümliches Dunkel. Sie sah das jenseitige Ufer des Flusses nicht mehr. Der Junge war fort und die Dämmerung brach schnell herein, das Dunkel strömte von Osten herein, und es war ein wenig kühl.

17.03 Uhr. Sie mußte den Weg zurück durch den Wald finden.

Wie war die Strophe, die er geschrieben hatte, die von einem Schmetterling auf der Flucht? Es mußte wieder normal werden, was hatte er in seinem Gedicht geschrieben? Der Weg durch den Wald: so leicht, zum Ufer des Flusses zu finden, und so schwer, zurückzukehren! Wie ein Schmetterling, der aus dem Himmel geflohn. Will spielen. Ist ängstlich? Sie war am Flußufer von dem Jungen umschlossen gewesen. Jetzt bald wieder im Innern des schreckensstarren Waldes.

Kein Laubwerk, nur Dschungel.

Alle wilden Tiere hatten sie betrachtet, schweigend. Der Junge hatte gesehen, wer sie war, und es gesagt. Gottes Schmetterling, verkleidet.

Jetzt ging es um Marie.

Es war übermenschlich schwierig, sie mußte es dazu bringen, zusammenzuhängen. Sie wußte, sie würde es schaffen.

VII

Der Gesang von den wilden Tieren

1.

Es standen Bäume vor den Fenstern von Maries Wohnung in Paris.

Blanche schlief immer schlechter, es tat weh, die Schmerzen kamen oft vor der Morgendämmerung, aber dann konnte sie durchs Fenster hinaussehen, konnte das Licht kommen sehen, Stämme zeichneten sich ab, dann Schatten, die vielleicht Laub waren, dann wirklich Laub. Es war wie der Weg zum Ufer des Flusses. Wenn sie fast angekommen war, war es am besten, wie früher. Der Junge würde dann im Wasser stehen, sein Oberkörper nackt und braungebrannt, er würde sich zu ihr umdrehen und dann würde sie sehen, daß sein Gesicht das von Charcot war, und daß sie es die ganze Zeit gewußt hatte.

Wenn sie gewisse Schlußfolgerungen hierüber niederschrieb, war es in Druckschrift und deutlich. Dann waren die Wörter fast vierkantig, kein Zaudern, als habe sie etwas ein für allemal festgestellt, es aber erst jetzt gewagt. Oder wie ein Notruf. *Wie überleben wir die Liebe. Wie würden wir ohne die Liebe leben können.* Es gab etwas, das sie Marie erzählen mußte. Sie wußte es fast ganz sicher, doch zuerst mußte sie selbst verstehen.

Ich weiche nie von deiner Seite. Dieses Gefühl, daß ein *Mensch ohne Wohltäter* immer unter einer Glasglocke gelebt hat, verzweifelt mit den Nägeln am Glas gekratzt hat, nicht hinausgekommen ist. Und dann plötzlich war jemand da.

Und jemand flüsterte *ich weiche nie von deiner Seite.*

Marie hatte gefragt, warum Blanche manchmal glaubte, Charcot getötet zu haben. Weil, hatte sie geantwortet, als ich mit ihm aus den Bäumen heraustrat. Und ihn am Ufer des Flusses traf. Und als er verstand, daß ich ihn liebte. Da vermochte er es nicht, gegen das Dunkel zu kämpfen. Teilt man sein Dunkel mit dem, den man liebt, entsteht manchmal ein Licht, das so stark ist, daß es tötet.

Du solltest es wissen, Marie! Du hast ja dieses tödliche blaue Licht gesehen!

Ist das wirklich Liebe, hatte Marie gefragt.

2.

Zweimal schreibt Blanche im Fragebuch vom *Wendepunkt.* Beim zweiten Mal hat sie verstanden.

Da lautet ihre einleitende Frage **Wann bekam ich die Erklärung für Maries Zusammenbruch?** (beim ersten Mal benutzt sie das unbeholfene Wort ›Dilemma‹). Es geht um den Diebstahl des L'Arcouest-Briefes. Blanche hatte wohl am Ende die Konsequenzen begriffen.

Sonst die gleiche Beschreibung jener furchtbaren Nacht.

Marie kam in mein Zimmer gestürzt, warf sich neben meiner Holzkiste auf die Knie, ihr Gesicht war leichenblaß und das Haar in Unordnung, sie drückte die größte Verzweiflung und Hilflosigkeit aus, doch mit dem strengen und verschlossenen Gesichtsausdruck, der mich wünschen ließ, sie würde weinen, obwohl sie sagte, sie könne nicht. Es hatte einen Einbruch in Maries und Pauls gemeinsamem Unterschlupf gegeben, jemand hatte die Briefe gestohlen, die sie an Paul geschrieben hatte. Darunter, das war das Schlimmste, befand sich auch der lange Brief, den sie im August 1910 aus L'Arcouest geschrieben hatte. Ich fragte sie, warum gerade dieser Brief eine solche Gefahr bedeute, sie antwortete: Er hätte nicht geschrieben werden dürfen. Warum hast du ihn dann geschrieben, fragte ich, es war die Liebe, antwortete sie.

Alle schienen es zu wissen, doch es war nicht öffentlich gewesen.

Dann wurde es öffentlich.

Am 3. November 1911 wurde die Solvay-Konferenz beendet. Marie und Paul hatten beide teilgenommen, Marie war mit Rutherford in einen heftigen Streit über die Beschaffenheit des durch Betastrahlen erzeugten Zerfalls geraten, Einstein schrieb in einem Brief an Heinrich Zagger, er habe während der Konferenz intensiven Umgang mit Marie und Paul gepflegt, ›sie sind wirklich reizende Menschen, Madame Curie hat sogar versprochen, mich mit ihren Töchtern zu besuchen‹. Einstein schreibt auch von seiner großen Bewunderung für Maries ›Leidenschaft und funkelnde Intelligenz‹ – aber am Tag nach dem Abschluß der Konferenz, am 4. November 1911, zerbricht Maries Leben, und sie wird sich von da an nie mehr mit Forschung beschäftigen können.

Die Zeitung Le Journal bringt auf ihrer ersten Seite als Hauptnachricht, daß Marie Skłodowska Curie die Ehe eines verheirateten Mannes zerstört habe. Mit einem Bild von ihr. Die Überschrift lautet: ›Eine Liebesgeschichte: Madame Curie und Professor Langevin‹. Der Artikel beginnt mit den Worten: ›*Die Glut des Radiums mit ihrem rätselhaften blauen Schein hat jetzt im Herzen eines jener Wissenschaftler ein Feuer entzündet, die so intensiv dessen Aktivität untersuchen, während die Ehefrau und Kinder ebenjenes Wissenschaftlers hilflos weinen.*‹

Der rätselhafte blaue Schein. Marie, Maria, jetzt geht's los.

Wenn man sich so hoch oben befindet, wird der Fall tief und hart.

Und ein Fall war es, darin schienen sich alle einig zu sein. Auch Marie, die in den brennenden Krater der Liebe gefallen war und plötzlich den Schmerz verspürte. Was ungerecht war! ungerecht! sie hatte doch nur geliebt!

Aber da waren ja die Kinder. Was würden die Kinder auszustehen haben! Die Mädchen, die Schule, das, was sie nicht kontrollieren konnte, und was die Kinder traf!

Die Kinder!

Es gab keine Zeitung, die nicht vor Wut schäumte. Le Petit Journal meinte, es sei notwendig, die, für sie verlorene, Dreyfusdebatte wieder aufzunehmen: Marie war ja mit Sicherheit Jüdin, und der Zusammenhang, wenn auch entfernt, war offensichtlich. Eine Jüdin und Ausländerin bedrohte jetzt *die französische Familie* von innen heraus. Wieder das gleiche! wie in der Armee! wie in der Politik!

Man interviewte, groß aufgemacht, die in Tränen aufgelöste Jeanne Langevin, die *schamhaft war und Publizität verabscheute*, aber statt dessen ihre Mutter vorschickte. Diese lieferte eine eingehende Analyse der Eheverbrecherin Marie Słodowska Curie, die Polin war, unweiblich, und sich nur etwas aus Büchern und dem Laboratorium machte, und der Ehre.

Die anständigen Zeitungen gingen einheitlich auf Distanz zu Marie, dies war am 6. November. Am 7. November 1911, jetzt geht es Schlag auf Schlag, sandte die Nachrichtenagentur Reuters eine Depesche aus, in der mitgeteilt wurde, daß Marie Curie der Nobelpreis für Chemie des Jahres 1911 zuerkannt worden war.

Es war das erste Mal, daß jemand zweimal den Nobelpreis erhielt. Kein Wort über die Verleihung in der französischen Presse. Die Schande! Die Schande, daß eine unsittliche Frau eine französische Familie zerstört hatte, und die Schande auch für Frankreich, daß einer ›französischen‹ Forscherin unter diesen widrigen Umständen ein Nobelpreis zuerkannt wurde!

Über den man deshalb am besten schwieg.

Ich muß fliehen, hatte sie in dieser Nacht zu Blanche gesagt. Ich muß mit den Kindern verschwinden. Man hat mir die Kleider vom Leib gerissen, ich stehe vor aller Welt nackt da, die Schande!

»Ich weiß, wie du dich fühlst«, hatte Blanche geantwortet.

»Was weißt du?«

»Marie«, hatte Blanche da gesagt, »du befindest dich jetzt in einer Situation, die mir gut bekannt ist. Die wilden Tiere sehen dich an. Ihre lüsternen Augen sagen dir, daß sie dich bald anfallen und in Stücke reißen wollen. Aber du irrst dich. Sie wollen dich nicht töten. Ihre Lust ist liederlich, nicht tödlich. Sie betrachten deinen Körper, weil sie ihn begehren.«

Sie hatte nicht verstanden, und Blanche hatte es nicht erklären können. Stell dir vor, hatte sie gesagt, daß du durch einen Wald gehst, und daß sich bald eine Lichtung auftut, und du siehst.

»Und dann?« hatte Marie gefragt. »Was sehe ich?«

»Wasser. Einen Fluß. Und da steht der, den du liebst, und dann bist du nicht mehr einsam, und er wird nie mehr von deiner Seite weichen.«

Doch er sollte.

Paul Langevins Freunde wurden zum Polizeipräfekten Louis Lepine gerufen. Es war am 9. November 1911, zwei Tage nach der Mitteilung von der Verleihung des Nobelpreises an Marie Curie.

Die Freunde waren Jean Perrin und Èmile Borel.

Der Polizeipräfekt hatte ein Angebot zu unterbreiten. Wenn Paul Langevin bedingungslos auf das Sorgerecht für die Kinder verzichtete und seiner Ehefrau einen Unterhalt von monatlich eintausend (1000,–) Francs zuerkannte, könnte der Skandal vermieden werden und die Briefe, besonders Maries langer Brief, der *ihre Möglichkeiten, auf ihrem wissenschaftlichen Gebiet weiterhin ihre Forschungen zu betreiben, zunichte machen würde,* könnten unveröffentlicht bleiben.

Man kehrte von der Besprechung beim Polizeipräfekten zurück und unterbreitete Marie und Paul den Vorschlag. Marie erklärte, hierüber müsse Paul entscheiden. Und daß sie ihm freie Hand lasse. Paul erklärte daraufhin, daß der Vorschlag unannehmbar sei.

Das hieß Krieg.

In der Praxis bedeutete dies auch das Ende von Maries wissenschaftlicher Karriere. Kurz darauf, und aufgrund dessen, wurde nämlich in L'Œuvre eine neunseitige Beilage publiziert, die Maries sämtliche Liebesbriefe an Paul enthielt, sowie, in extenso, den langen Brief, den sie im August 1911 aus L'Arcouest an Paul geschrieben hatte. Es war der Brief mit den kühlen Anweisungen, wie er frei werden würde, mit den wütenden Haßausbrüchen gegen die Ehefrau, es war der Brief, der nie hätte geschrieben werden dürfen, aber vor allem nie hätte veröffentlicht werden dürfen. Und alles wurde zitiert. *›Mit wissenschaftlichem Raffinement beschreibt sie verschie-*

dene erfindungsreiche Vorgehensweisen, um die arme Ehefrau zu quälen, damit diese verzweifelt und einen endgültigen Bruch erzwingt.‹ Alles, alles wurde ans Licht gezerrt.

Es wurde so schmutzig, oh, Marie, wie schmutzig es wurde.

Und dann war alles, alles, aus.

3.

Man fand Marie später in Sceaux wieder.

Die Mädchen waren aus der Schule nach Hause gekommen. Jemand hatte der Tochter Irène eine Zeitung gezeigt, in der ihre Mutter vorkam. Ein paar wohlmeinende Klassenkameraden hatten ein Stück daraus vorgelesen und erklärt, daß die Zeitungen dies schrieben, weil ihre Mutter eine Hure sei. Das Mädchen hatte da nicht länger zuhören wollen und war nach Hause gelaufen. Niemand war zu Hause gewesen außer Blanche.

Irène war am Fußende in Blanches Bett gekrochen und hatte gesagt, sie sei müde und wolle schlafen. Sie konnte jedoch wegen des Zitterns in ihrem Körper nicht einschlafen, dann hatte sie Blanche in die mobile Holzkiste geholfen und sie im Raum herum und herum gefahren, wobei sie ›erzählte‹.

Das Mädchen hatte erzählt, also unkontrolliert geschrien.

Blanche hatte sie gebeten, aufzuhören, sie im Zimmer herum und herum zu fahren, doch sie schien nicht zu verstehen, und hatte weitergemacht. Dann war Marie nach Hause gekommen, hatte ihre Tochter an sich gerissen, die immer noch laut schrie, wie in Trauer oder Verzweiflung, und sie in aller Hast angezogen. Blanche hatte bei dieser Gelegenheit versucht, allein aus der Holzkiste herauszusteigen, um Marie daran zu hindern zu fliehen, war aber gefallen und über den Fußboden gerollt.

Das war der Beginn der Abreise in die kleine französische Stadt Sceaux.

Plötzlich hatte Blanche sich allein in der Wohnung befunden.

Sie hatte gewisse Beobachtungen im Fragebuch festgehalten, diesmal mit der undeutlichen Schrift, nicht in Druckbuchstaben.

Sie hatte sich mit gewisser Mühe *ohne Hilfe meiner Transportkiste* auf dem Fußboden voranbewegt, am Abend war es ihr gelungen, in die Küche zu gelangen und eine einfache Mahlzeit zuzubereiten, doch vor allem, schreibt sie, mache sie sich Sorgen wegen Marie und der beiden Kinder.

Es waren die Kinder, schreibt sie ein übers andere Mal. Keine Kommentare über Paul, abgesehen von einer unausgeglichenen Tirade.

Sie blickt aus dem Fenster und entdeckt *diese Gruppe von Menschen, die die Wohnung der bloßgestellten Hure bewachten. Diese Gruppe verdichtete sich langsam zu einem Menschenhaufen, was mich an die Tage in der Salpêtrière erinnerte, als die Öffentlichkeit mich zu betrachten schien, als sei der Haufen ein lüsternes und blutdürstiges Raubtier, aber als ich nach Maries Flucht, nach ihrer Rückkehr, Marie dieses fast poetische Gleichnis vorgetragen hatte, um sie zu trösten, hatte sie wenig Linderung darin gefunden und ständig wiederholt, daß dies die unschuldigen Kleinen ausbaden müßten, und ich, Blanche, trotz allem in meiner Erniedrigung allein gewesen und nicht für Kinder verantwortlich gewesen sei. Ich konnte darauf nichts erwidern.*

Marie war mit den Kindern nach Sceaux geflohen. Eine Woche später kamen sie zurück nach Paris, und zu Blanche. Was war geschehen?

Fragmentarische Aufzeichnungen im Fragebuch. Man muß rekonstruieren.

4.

Der Fall so tief, die Schande so groß, das Ansehen eines langen Lebens vernichtet, und sie war vollkommen, durch und durch hilflos.

Warum muß es so sein, hatte sie gedacht.

Sie empfand Scham und gleichzeitig war es ungerecht, denn warum sollte sie sich der Liebe schämen? Sceaux war eine tote Stadt, hatte sie gedacht, als läge sie in Grönland.

Vielleicht wie Nome, nein, nicht Nome! das war etwas anderes und ohne Schmerz! Nome sollte das Wort für einen Genuß und eine Leidenschaft sein, die sich verbargen. Alles ringsumher ausgelöscht! und keine Geschichte! und keine Zukunft! nein, ein anderer Ort.

Wie in einem Wald in Polen, eine Hütte auf einer Lichtung in einem polnischen Wald.

In Sceaux hatte sie noch das Haus, in dem Pierres Vater gewohnt hatte.

Es stand fast immer leer: Jetzt im November lag ein Ton von Trauer über den leeren Räumen, von muffiger Kälte, verlassener Jahrhundertwende, Holzfußböden, die einmal sauber gescheuert gewesen waren, weiße Tüllgardinen *mit Mottenlöchern wie ein zerfressenes Ansehen*, wie sie plötzlich in einem beinah poetischen Bild dachte. Sie war am Abend spät mit den Mädchen angekommen: eine entsetzliche Reise, Marie weiß im Gesicht und die Mädchen stumm.

Was sollten sie auch sagen.

Sie hatte die Mädchen zu Bett gebracht und sie beschworen, ruhig einzuschlafen, was sie angesichts der dringlichen Aufforderungen der Mutter auch liebevoll akzeptierten. Dann hatte sie die Gräber aufgesucht.

Sie war auf direktem Weg zum Friedhof gegangen.

5.

Es war später Abend, die Straßen waren leer, und sie war fast sicher, daß der Gerüchtesturm nicht bis ins kleine Sceaux vorgedrungen war.

Hier konnte sie ausruhen.

Es mußte auch für jemanden, der so vollkommen einsam geworden war, einen Ausweg geben, *ist niemand da, der sich über die Frau erbarmen kann! Seht ihr nicht! Hinauf zum Haus durch den Schnee?* Tat man den schwindelerregenden Schritt in die große Einsamkeit, mußte es am Ende auch für sie Gnade geben.

Daß die Scham so schwer sein konnte, wo sie geglaubt hatte, nur geliebt zu haben.

Warum mußte es so häßlich werden!

Es war, als sei die Liebe zuerst schwindelerregend und warm und fast brennend gewesen, doch dann war das, was Magma und heiß gewesen war, erstarrt und schwarz und grotesk geworden und hatte sich in schamerfüllte Lava verwandelt. Und die Kinder. Wie konnte sie es ihnen erklären. Gab es kein kleines Dorf in Polen, in dem sie sich verstecken konnte. Und dann der Haß. Sie empfand einen so intensiven Haß, daß sie nicht atmen konnte. Nicht den Haß der anderen. Ihren eigenen! Sie wurde so häßlich vom Haß! Häßlich!

Es war nicht gerecht.

Es war so schnell gegangen, sie war so glücklich gewesen, und so unvorsichtig verliebt, so durch und durch unwissenschaftlich verliebt. Aber daß sie es ihnen so leicht gemacht hatte!

Sie begann an sie zu denken, wie Blanche es zu tun pflegte.

Als wilde Tiere.

Der Friedhof lag in dichtem Dunkel, doch sie kannte den Weg.

Hier war vor fünf Jahren Pierre begraben worden, hier war vor nur anderthalb Jahren Pierres Vater begraben worden. Das Dunkel war kalt und es regnete leicht, sie suchte eine Weile, es war schwer, die Wege waren aufgeweicht, kein Gras.

Dann fand sie die Gräber.

Der Stein war erst kürzlich fertiggestellt worden, Pierres Name stand da, und der seines Vaters. Sie fiel auf die Knie, ohne sich vorzusehen, spürte den eiskalten Lehm an ihren Knien. Es war erniedrigend, sie wollte aufstehen, tat es aber nicht. Es war trotz allem dunkel, niemand konnte sie in dieser lächerlichen Situation sehen. Das Lächerliche mußte die Strafe sein. Sie hatte wohl schuld. Sinnlos, zu versuchen, keine Schuld zu fühlen.

Das Grab war schmal, plötzlich erkannte sie mit fast schockartiger Trauer, daß die Särge übereinandergestellt waren, daß Pierres Sarg unten stand und der seines Vaters darüber, und daß sie selbst, wenn es ihr erlaubt sein würde, dort zu liegen, *wenn es ihr erlaubt sein würde, dort zu liegen!* nicht den Platz bekäme, der Pierre Curie am nächsten war. Es war fast obszön, sie spürte Übelkeit in sich aufwallen, es war absurd, es durfte nicht so sein.

Sie war auch von Pierres Nähe ausgeschlossen.

Nichts gegen ihren Schwiegervater. Sie hatte ihn gemocht. Doch jetzt erkannte sie, daß sie auch hier ausgeschlossen war. Er war im März 1910 gestorben, bevor der Sturm losbrach, jetzt befand er sich wie ein Dach über ihrem geliebten Pierre.

Der Tod bestrafte sie, auch der Tod betrachtete sie als Sünderin.

Ihr war übel. Sie versuchte mit aller Kraft, ihre Übelkeit unter Kontrolle zu bringen, doch es gelang ihr nicht, sie erbrach sich, drehte den Kopf zur Seite, damit das Erbrochene daneben landete und nicht auf Pierres Grab. Es war hauptsächlich gelber Schleim, sie hatte ja in den letzten vierundzwanzig Stunden nichts essen können. Sie versuchte, den Text auf dem Grab zu lesen, doch im Dunkeln war es fast unmöglich. Hier würde sie vielleicht liegen dürfen. Was würde dort stehen? Die Hure Marie, verachtet vom französischen Volk, eine Schande für ihre Kinder. So würde es zu Ende gehen, ganz unten Pierres Sarg, und darüber der seines Vaters, die richtigen Curies, und über ihnen der der polnischen Frau. Aber nicht einmal in der Umarmung der endgültigen Nähe. Was hatte Blanche einmal über die Liebe gesagt? Es war ein Satz, der alles erklären sollte. Nicht darüber, wie es war, sondern darüber, wie es sein sollte.

Doch, jetzt wußte sie es wieder. *Ich weiche niemals von deiner Seite.*

Und hier kniete sie im Dunkeln auf dem Friedhof in Sceaux und kotzte und wußte, daß es nie so kommen würde. Ein anderer fremder Körper, der Körper eines alten Mannes, bedeckte ihren Geliebten, so daß sie nie an seiner Seite würde ruhen können. Und das war die Strafe für die Sünderin. Sie spürte, daß sie am ganzen Körper bebte, es regnete jetzt stärker. Sie flüsterte mit leiser Stimme *Pierre Pierre Pierre*, aber er kam ihr nicht zu Hilfe, er schwieg. Kein Wohltäter, nicht einmal Blanche, um sich auszuweinen. Sie war ganz und gar verlassen, sie kniete im Lehm auf einem schwarzen Friedhof in einer feindlichen Welt, die ihr nie vergeben würde, ihr geliebter Pierre war tot, sie würde nicht an seiner Seite ruhen können, Blanche konnte ihr keinen Trost und keine Wegweisung geben, Marie war am Ende einsam, Paul hatte nichts von sich hören lassen, *war sie von seiner Seite gewichen*, auch er war zerschmettert, aber er würde wiederauferstehen, verwundet, aber nicht vernichtet, doch für sie war Schluß. Der Fall war vollbracht, von der höchsten Höhe hinab ins tiefste Dunkel des Meeres.

Wenn sie nur sterben dürfte, aber da waren ja die Kinder.

Sie fror so, daß sie nicht denken konnte. Der Grabstein schien breit und bedrohlich, nicht beschützend, noch keine Signale, noch keine Mitteilungen von Pierre. Warum sollte er ihr antworten? Er wußte vielleicht, was geschehen war.

Sie mußte zurückkehren.

Amor Omnia Vincit, pflegte Blanche zu ihr zu sagen. Der Regen wurde stärker. Sie stand auf, sie ging, sie lief geduckt mit kleinen kurzen Schritten nach Hause zu dem, was vielleicht nicht schlimmer werden konnte. Dies war der tiefste Punkt, dachte sie mit einer Art Hoffnung.

Aber sie konnte nicht sicher sein.

Sie kam, eine Stunde nach Mitternacht, zurück zu den endlich barmherzig schlafenden Kindern.

6.

Gegen zehn Uhr erwachte sie davon, daß eine Scheibe zersplitterte; jemand hatte einen Stein durchs Fenster geworfen.

Rufe. Sie verstand, was sie riefen, es war wie vorher, *die ausländische Hure*. Sie drängte in Hast die Kinder in die Küche, deren Fenster nicht zur Straße hinausgingen, gab ihnen zu essen und fegte die Glassplitter zusammen.

Dann führte sie ein Telefongespräch.

Gegen drei Uhr kamen Marguerite Borel – die sich später in ihren Memoiren daran erinnerte, daß sie ›vor Entrüstung bebte‹ – und André Debierne aus Paris, um Marie und die Kinder aus Sceaux zu befreien; der Notruf einer verzweifelten Marie, die um das Leben ihrer Kinder fürchtete, hatte sie erreicht. Vor dem Haus hatten sich Menschen gesammelt und riefen ›Fort mit der Hure‹ oder ›Fort mit der Ausländerin, die verheiratete Männer stiehlt‹.

Sehr richtig, das Haus war praktisch belagert, doch noch hatte niemand versucht, einzudringen. Es wurden vereinzelte Schmährufe laut, als die beiden Freunde eintrafen, doch die Menge machte dem Wagen Platz. Sie kamen ins Haus. Marie saß in der Küche, auf jeder Seite neben sich eines der Kinder. Sie hielten sie an der Hand. Marie war aschgrau im Gesicht und wirkte plötzlich sehr alt, ihr Kleid war verschmutzt, es sah aus wie getrockneter Lehm.

Marguerite rief sich in Erinnerung, daß Marie zehn Tage zuvor der Nobelpreis für Chemie verliehen worden war, wollte aber nichts sagen.

Du mußt hier weg, hatten sie nur zu ihr gesagt. Sie antwortete nichts, gehorchte aber.

Es gelang ihnen ohne Zwischenfall, den Kreis der Belagerer zu durchbrechen, die eher mit stummer Abscheu die Flucht der Polin betrachteten. Im Wagen zurück nach Paris saß Marie starr wie eine Statue, den Kopf unbeweglich dem Fenster und der vorbeiziehenden Landschaft zugewandt. Man versicherte ihr, daß sie und die Kinder jetzt Schutz bei dem Ehepaar Borel finden würden, in deren Wohnung.

Sie kamen an. Schweigend, weiß im Gesicht und mit steifer Würde, ging sie über den Hof und betrat ihr neues Gefängnis.

Drei Tage später suchte sie spät am Abend und im Schutz der Dunkelheit ihre eigene Wohnung auf, um zu sehen, wie es Blanche ergangen war.

Ich habe voller Angst gewartet, hatte Blanche als erstes gesagt, weil ich außer mir war vor Sorge um dich, Marie. Mir selbst fehlt nichts.

Essen hatte sie gehabt.

Sie weinten lange zusammen; Marie hatte Blanche hochgehoben und hielt sie in den Armen, als wäre Blanche ein entlaufener Hund, der wiedergefunden worden war, und dessen Wärme trösten konnte.

Es gab einiges zu erzählen.

Es ging das Gerücht, daß Paul in ein Duell mit einem Journalisten verwickelt worden war; man hatte in die Luft geschossen und das Ganze war lächerlich gewesen, aber die Ehre beider Duellanten war wiederhergestellt. Der Schulminister hatte Émile Borel, der Lehrer an der École normale war, zu sich bestellt und ihm eine Rüge erteilt, weil er in seiner Wohnung, die in einem Annex der Schule lag, eine Person aufgenommen hatte, die eine Schande für diese Schule war. Der Minister war außerordentlich empört gewesen und hatte verlangt, daß Borel Marie aus seiner Wohnung werfen solle, und ihm mit Degradierung gedroht; Borel hatte sich jedoch standhaft geweigert, Marie fortzuschicken. Auch Marguerite Borels Vater hatte interveniert und verlangt, daß seine Tochter sich den Skandal vom Halse schaffen sollte: ›Skandale schmieren und färben ab wie Öl‹; doch auch Marguerite hatte sich geweigert. Man wisse jedoch, hatte der Vater gesagt, daß der Ministerrat in Kürze den Fall aufgreifen werde und daß der Vorschlag diskutiert werde, Marie zum Verlassen des Landes aufzufordern. Marie könnte sicher in Polen eine Stelle als Lehrerin bekommen, eventuell als Professorin. Nach einem langen Streit hatte der Vater in seiner Wut seinen einen Schuh an die Tür geworfen.

Nichts war rein, alles war lächerlich.

Marie hatte Blanche in den Armen gewiegt. So hatten sie die ganze Nacht dagesessen. Als der Morgen graute, war Blanche eingeschlafen und Marie hatte sie ins Bett gelegt; Blanche war ja so leicht, wie ein Kind.

Dann hatte sie angefangen, ihre Post durchzusehen.

Darunter war ein Brief aus Schweden, von Svante Arrhenius, Vorstandsmitglied der Königlichen Wissenschaftsakademie, die ihr vor einigen Wochen den Nobelpreis in Chemie zuerkannt hatte, ihren zweiten Nobelpreis, diesmal jedoch ihr allein zuerkannt.

Im Unterschied zu früherer Korrespondenz war der Brief in kühlem Ton gehalten.

›Ein Ihnen zugeschriebener Brief ist in einer französischen Zeitung publiziert worden, und Kopien sind auch hier in Umlauf. Aus diesem Grund habe ich mit meinen Kollegen beratschlagt, wie in der so entstandenen Situation zu verfahren sei. Alles erweckt den, wie ich hoffe, falschen, Eindruck, daß der publizierte Briefwechsel keine reine Erfindung ist.

Sämtliche Kollegen erklärten, daß es wünschenswert wäre, wenn Sie sich am 10. Dezember nicht hier einfänden. Ich bitte Sie deshalb, in Frankreich zu bleiben, niemand vermag mit Sicherheit zu sagen, was bei der Preisverleihung geschehen kann.

Wenn die Akademie geglaubt hätte, daß der fragliche Brief authentisch sein könnte, hätte sie Ihnen – aller Wahrscheinlichkeit nach – den Preis nicht zuerkannt, bevor Sie nicht eine glaubwürdige Versicherung abgegeben hätten, daß es sich bei dem Brief um eine Fälschung handelt.

Deshalb hoffe ich, daß Sie dem ständigen Sekretär C. Aurivillius oder mir telegraphisch mitteilen, daß Sie verhindert sind zu kommen und daß Sie anschließend einen Brief schreiben und erklären, daß Sie den Preis nicht entgegennehmen wollen, solange nicht der Beweis erbracht werden kann, daß die gegen Sie erhobenen Vorwürfe jeder Grundlage entbehren.‹

Die Schweden wollten sie auch nicht haben.

So weit war es gedrungen. So weit war es gekommen.

Sie hatte Blanche geweckt und ihr mit sehr klarer, fast kindlicher Stimme den Brief in seiner ganzen Länge vorgelesen.

Sie wollen mich nicht mehr haben, hatte sie nach einer langen Pause gesagt. *Die Schweden wollen mich nicht haben. Sie wollen, daß ich freiwillig auf den Preis verzichte, in Schande.*

»Und was willst du tun«, hatte Blanche gefragt.

Marie hatte nicht geantwortet, war nur in die Küche hinausgegangen und hatte aus dem, was da war, ein leichtes Frühstück für sie beide zubereitet. Dann hatte Blanche lange zu ihr gesprochen, und ihren eigenen Worten im Fragebuch zufolge auf eine beinah unkontrollierte und in jedem Fall nicht druckfähige Weise diese *schwedischen Hurenböcke und Arschlöcher* in der Königlichen Wissenschaftsakademie kommentiert, die die Frechheit besessen hatten, ihre Freundin zu kritisieren.

»Ich habe mir nichts vorzuwerfen«, hatte Marie da geflüstert, fast unhörbar, wie versuchsweise, wie um auszuprobieren, ob die Worte tragen.

Ich habe mir nichts vorzuwerfen.

»Dann schreib ihnen das als Antwort«, hatte Blanche erwidert. Und das hatte Marie getan, in einem Brief an das Akademiemitglied Gösta Mittag-Leffler, in dem sie darauf hinwies, daß der Preis ihr für die Entdeckung von Radium und Polonium verliehen worden sei, und daß sie die Absicht habe, diesen Preis entgegenzunehmen, und zwar am zuvor vereinbarten Ort, eben am 10. Dezember in diesem Jahr des Heils 1911.

Und so war es auch geschehen.

Sie traf am Morgen des 10. Dezember in grauem Nieselregen in Stockholm ein und nahm am Abend desselben Tages den Preis aus der Hand Gustavs V. entgegen. Sie bewegte sich bei der Zeremonie mit einer steifen und angststarren Würde, man bemerkte, daß ihr Gesicht grau war und sie erschöpft und krank wirkte. Sie trug, Svenska Dagbladet zufolge, ›ihr, man ist versucht zu sagen, raffiniert einfaches schwarzes Kleid ohne jeden Schmuck‹. Kein Lehm. Nachdem sie den Preis entgegengenommen hatte, ›nahm der Beifall Ovationscharakter an‹. Sie hatte, laut Dagens Nyheter, dem König mit ›einer wenig hofgemäßen Verbeugung‹ gedankt.

Sie hatte die Zähne zusammengebissen, *ohne mich eine Sekunde vom Tuscheln oder Anspielungen irritieren zu lassen.*

Die Zeitungen schwiegen, wenn sie überhaupt informiert waren. Sie gewährte nur ein einziges Interview und saß dabei Hand in Hand mit ihrer Tochter Irène, die sie nach Stockholm begleitet hatte. Es war im Grand Hôtel. Die Zeitungen hatten sie empfangen wie eine Königin. Sie hatte immer wieder gesagt, daß sie krank und erschöpft sei, deshalb nur ein Interview. Am Tag der Preisverleihung, dem 10. Dezember, erschien in Dagens Nyheter ein ganzseitiger Bericht über die Situation in England, also über den Kampf für das Stimmrecht der Frauen, und besonders den sogenannten Suffragettenstreit am 21. November, geschrieben von einer Journalistin namens Elin Wägner. Es war blutig zugegangen. Mit dieser aktuellen Frage konfrontiert, hatte Marie geantwortet, sie sei ›natürlich Feministin‹, habe jedoch leider, aufgrund ihrer Forschung, keine Zeit gehabt, sich dem politischen Kampf zu widmen. Ihre Tochter wurde als süß und anteilnehmend beschrieben. Alle hatten sich um Maries Gesundheit gesorgt, sie wird als gebrechlich geschildert, einmal war ein Lächeln über ihr Gesicht gehuscht, es war magisch gewesen. Mittag-Leffler hatte die Laudatio gehalten, unangestrengt. In ihrer Nobelpreis-Vorlesung gab Marie eine Übersicht über die fünfzehnjährige Geschichte der Radioaktivität. Sie huldigte ihrem Mann Pierre, machte aber auch deutlich, daß ihre Forschungsergebnisse ihre waren, und daß der Preis ihr eben dafür zuerkannt worden war.

In den Zeitungen keine Andeutung von dem Sturm in Paris. Einen Abend ist Marie Ehrengast bei einem Essen für dreihundert im Stimmrechtskampf engagierte Frauen; Marie hat trotz allem zwei der vier bis dahin an Frauen vergebenen Nobelpreise erhalten, die anderen gingen an Bertha von Suttner und Selma Lagerlöf. Drei Stunden ist sie von ihrer Wärme umgeben, *könnte ich nur in diesem von Scham befreiten Zustand verharren.*

Dann kehrte sie nach Paris zurück und wurde beinah umgehend krank. Die kurze Winterwoche in Stockholm war befreiend kalt und rein gewesen, aber die Reinheit war nicht für sie vorgesehen. Sie existierte nur in einem kurzen Augenblick erkämpfter Stärke, *ich leiste Widerstand* eine Winterwoche lang in Stockholm, *stell dich auf deine Füße und geh,* und mit fast unfaßbarer Stärke hatte sie sich wirklich auf ihre Füße gestellt, und war gegangen. Doch nichts, absolut nichts hatte sich verändert in der Hölle, in die sie jetzt zurückkehren sollte, und wo die angsterfüllt wartende Blanche, der Torso in seiner Kiste, die einzige war, die Trost spenden konnte, weil sie vielleicht die einzige war, die des Geheimnisses der Liebe teilhaftig geworden war, wenn es denn eines gab, doch das gab es vielleicht, vielleicht, oh, wenn es nur eines gäbe.

7.

Im Dezember 1911 trat sie die Flucht an, sie sollte fast drei Jahre dauern.

Am 29. Dezember wurde sie in ein Krankenhaus aufgenommen, man diagnostizierte eine Anzahl Strahlungsschäden um die Gebärmutter, die Nieren und den Harnleiter, sie wurden als alt bezeichnet und waren in den meisten Fällen verheilt. Im Januar war sie sehr schwach und schrieb ihr Testament, in dem sie die Verteilung des in ihrem Besitz befindlichen Radiums verfügte. Sie verlor an Gewicht und wurde im März von einem Doktor Charles Walther operiert, der die schmerzhaften und lästigen Läsionen entfernte.

In Briefen an Blanche bemerkt sie humoristisch, ihre eigenen Amputationen hätten jetzt begonnen, und sagt voraus, daß sie beide als sehr kleine Miniaturen in einer gemeinsamen Kiste enden werden.

Sie wiegt 51 Kilo. Die französische Presse hat inzwischen, trotz ihrer Versuche, ihren Aufenthaltsort geheimzuhalten, von Maries prekärer Lage erfahren und deutet an, sie befinde sich im Krankenhaus, weil sie von Paul Langevin schwanger sei und vielleicht, doch nicht ganz sicher, eine Abtreibung habe vornehmen lassen. Möglicherweise mit unglücklichem Ausgang. Oder sie beabsichtige, heimlich zu entbinden.

Die Ärzte veröffentlichen daraufhin in Le Temps ein scharfes Dementi. Das ändert nichts. Sie sieht keinen Ausweg.

In der letzten Märzwoche reist sie, unter dem Namen Madame Dłuska, in einen kleinen Ort namens Brunoy. Die Kinder besuchen sie. Marie findet die Schande unerträglich, akzeptiert sie aber nicht, weil sie nach wie vor auf ihrem Recht zu lieben besteht. Im Juni wird sie nach Thonon-les-Bains am Fuße der französischen Alpen gebracht, um sich dort bei den mineralischen Quellen einer hydrotherapeutischen Kur zu unterziehen, die gegen Nierenbeckenentzündung helfen soll.

Wo ist der Geliebte?

Ihre Eileiter schmerzen dumpf von zwei Uhr am Morgen bis zum Nachmittag, wenn die Schmerzen etwas abnehmen.

Sie nennt sich Madame Słodowska und beschwört alle, ihren Zufluchtsort geheimzuhalten.

Marie, Maria, es nimmt nie ein Ende.

Im Mai erreicht sie ein Brief ihrer englischen Freundin Hertha Ayrton, die sie bittet, nach England zu fliehen. Sie beschließt zu reisen. Hertha Ayrton ist Physikerin und Suffragette, Marie sagt von sich, sie habe ihr Leben ganz der Wissenschaft verschrieben. Polen war ihre politische Welt, sonst nichts.

Plötzlich ein Stoß durch die Erdkruste, ein Erdbeben? Ist etwas geschehen? Danach wieder ruhig. Vollkommen ruhig.

Hertha war verzweifelt gewesen wegen Marie. Du brauchst Schutz, und Ruhe und Frieden, hatte sie geschrieben.

Ruhe und Frieden? Wenn die Gewaltsamkeit des englischen Stimmrechtskampfes sich auf ihrem Höhepunkt befand, dann gab es in London vielleicht ein Auge des Sturms.

Hertha Ayrton war eine international angesehene Physikerin, die auf dem Gebiet der elektromagnetischen Wellenbewegungen und der Wellenphänomene in oszillierendem Wasser Entscheidendes geleistet hatte; während des Ersten Weltkriegs fand ihre Forschung auch praktische Anwendung, da ihre Erfindung *The Ayrton Fan* dazu beitrug, das Entfernen von in die Schützengräben eindringendem Kampfgas zu erleichtern. Sie war eine der Führerinnen der englischen Suffragettenbewegung, die sich zu diesem Zeitpunkt mitten in der brutalsten Phase des Kampfes für das Frauenstimmrecht befand. Marie hatte zwar einen Aufruf zur Unterstützung gefangener und hungerstreikender Suffragetten in London unterschrieben, aber jetzt war sie nur eine vom Skandal verfolgte Flüchtige, die ihre Schande verbergen wollte.

Sie fuhr nach England, um Ruhe und Frieden zu finden, sie landete im Zentrum des Sturms.

Blanche schließt in diesen Sommermonaten 1912 das schwarze Buch ab.

Marie schreibt auch, sie schreibt an Blanche, einen Brief mit den eigentümlichen Worten *ich habe jetzt ein ausgezeichnetes*

Versteck, weil ich mich in einem Sturm befinde, wo alles andere wichtiger ist als Marie Curie. Sie schreibt dies aus Hertha Ayrtons Wohnung, die als Zufluchtsort für Suffragetten diente, die im Gefängnis so lange im Hungerstreik gewesen waren, daß sie dem Tod nahe waren, und deshalb aus politischen Gründen freigelassen wurden, damit sie wieder zu Kräften kamen, um anschließend erneut festgenommen werden zu können.

Ich glaube nicht, daß sie es wagen, unsere bedeutendste Anführerin, Mrs. Pankhurst, noch einmal festzunehmen, schrieb sie, sie ist ausgemergelt, liegt beinah im Sterben, ist bester Laune, sie liegt auf einer Matratze zusammen mit drei anderen Mitstreiterinnen in Herthas Bibliothek. Dies ist ein Krieg. Hertha päppelt sie auf, und wenn sie wieder zu Kräften gekommen sind, wartet die nächste militante Aktion. Sie gehen dann in Gruppen von maximal zwölf Personen hinaus, weil das Gesetz größere Gruppen nicht zuläßt. Diese Gruppe demonstriert, im gesetzlich erlaubten Abstand von der nächsten, also mindestens fünfzig Meter von der nächsten Gruppe entfernt, und der nächsten, und der nächsten. Diese Frauen, häufig über siebzig Jahre alt und physisch fragil, werden trotzdem von der Polizei mit seltener Roheit mißhandelt, und ins Gefängnis gesteckt. Dort protestieren sie erneut mit Hungerstreiks, um schließlich, bevor der Tod eintritt, von barmherzigen Politikern, die nicht wünschen, daß sie im Gefängnis sterben, aber gern außerhalb, freigelassen zu werden. Dann werden sie von ihren Mitstreiterinnen wieder ins Leben zurückgebracht.

Herthas Tochter Barbara, eine der Meistgesuchten, floh in diesem Frühjahr mit so langen und sittsamen Röcken verkleidet nach Frankreich, daß die Polizei keinen Verdacht schöpfte, sie könnte eine Suffragette sein. Jetzt ist sie jedoch wieder festgenommen worden. Alle hier sind von der Polizei schwer mißhandelt worden, sind aber guten Mutes. Zwei Polizisten stehen an der Haustür, zwei an der Tür auf der Rückseite des Hauses. Man trägt diese Frauen auf Bahren herein oder hinaus, meistens jedoch herein.

Hinaus können sie selbst gehen, von neuem auf dem Weg zur Demonstration, ins Gefängnis und zum Hungerstreik.

Ein Taxi ist ständig auf der Straße postiert, für den Fall, daß Mrs. Pankhurst auf die Idee kommen sollte, aufs Dach zu klettern und einen Fluchtversuch zu unternehmen: Dann sollen die Polizeibeamten sie mit dem Taxi jagen. Weil sie kaum gehen kann, ist die Gefahr jedoch gering.

Die Ereignisse des letzten halben Jahres kommen mir unwirklich vor. Ich denke jeden Tag an Dich, Blanche. Hertha sagt, daß ich zunehmen muß. Sie ist der Ansicht, ihre Arbeit als Physikerin aufgegeben und nur noch eine Daseinsberechtigung als Aufpäpplerin sterbender Mitstreiterinnen zu haben, zu denen ich zu meiner großen Verwunderung gerechnet werde. Sie hat vor, mich aus diesem Haus am Norfolk Square wegzubringen, nach Highcliff, ans Meer.

Niemand kennt mich. George Eliot ist hiergewesen. Ich befinde mich in einem Chaos. Ich habe seit einer Woche nicht das Wort ›Schande‹ gedacht.

Im Auge des Orkans eine große, heitere Ruhe. Marie ist verwirrt, schreibt sie in jedem ihrer Briefe. Diese vertrocknete und heitere Mrs. Pankhurst! die Marie mit Brei füttert!

Konnte das Leben tatsächlich so spaßig sein?

Sie reisten wirklich ans Meer. Hertha mußte gesehen haben, daß Marie sich am Rande des Abgrunds befand. Marie wie gewöhnlich inkognito.

Sie fuhren im August nach Highcliff, um zwei Monate dort zu bleiben.

8.

Sie hatte die Einsamkeit am Meer immer geliebt.

Sie konnte lange am Strand entlanggehen, nicht mehr so schwach wie im Frühling nach der Operation. Sie ging mit sehr kleinen Schritten, damit der Schmerz im Unterleib nicht wieder geweckt wurde; ich wackle vorwärts wie ein altes Weib, dachte sie, beschnitten.

Wie lange war es her, daß sie Frau gewesen war? Sie erinnerte sich, daß sie nackt auf einem Bett in Paris gelegen hatte und eine Tür geöffnet wurde und der Schlüssel knirschte, es war dunkel, die Lichter von der Straße fielen an die Decke, ein Aufenthalt auf dem Weg nach Nome, keine Angst, warum war es schiefgegangen? Sie lag neben ihm und es gab kein morgen, dieses Wort! morgen! was war das für ein Gedicht, das er ihr vorgelesen hatte? *Jetzt liegen wir still und geborgen/zusammen, gewichen ist deine Scheu/vergessen sind, die uns weh getan / und es gibt für uns kein morgen* – nein, hatte sie selbst es gelesen? Sie hatte es vergessen.

Es war die erste Strophe eines polnischen Gedichts. Es mußte also sie selbst gewesen sein.

Dunkel im Zimmer. Kein morgen. Genauso war es gewesen, in den kurzen Augenblicken, in denen es am besten war.

War das erst zwei Jahre her?

Sie war eine fast junge, fast schöne Frau gewesen und hatte vor nichts Angst gehabt, und sie hatte ihn stark gemacht.

Und jetzt.

Sie hatte sich ein paar kurze Monate in einem Frauenchaos befunden, wo fast niemand sie kannte, und auf jeden Fall niemand von der Schande wußte; und es war, als hätte sie wieder atmen können. Sie war nicht allein. Sie hatte sich eigentlich nie die Frage gestellt *was hat das Ganze eigentlich für einen Sinn*, es war völlig selbstverständlich gewesen. Jetzt war es nicht mehr selbstverständlich.

Mrs. Pankhurst hatte *kichernd Brei geschlürft*, an der Schwelle des Todes! Marie kam nicht darüber hinweg.

Der Sturm an der Kanalküste war nicht einschmeichelnd und sanft und freundlich, sondern sachlich und stellte andere Fragen, es war, wie es sein sollte. Der immer stärker fallende Regen schlug ihr schmerzhaft ins Gesicht. Diese Küste war nicht einschmeichelnd. Das gefiel ihr. Der Sturm dauerte an, ein schräger Regensturm aus Osten, und sie ging mit kleinen kurzen Schritten den steinigen Strand entlang und dachte, hier geht eine sehr alte Frau mit kleinen Schritten, aber sie geht.

Es ist beinah ein Wunder, sie geht.

Die erste Septemberwoche war sehr schön und ruhig. Hertha und sie hatten unter der Kastanie gesessen, und da hatte Hertha gesagt, sie sei sich nicht sicher, ob sie selbst richtig gehandelt habe. Sie hatte ihre Forschung für die Politik aufgegeben, aber vielleicht hätte sie es wie Marie machen sollen.

Alles der Wissenschaft widmen sollen. Da hätte sie vielleicht größeren Nutzen getan.

Marie hatte nicht geantwortet. Es war absurd. Ein Leben im Dienst der Forschung! Und dann zweifeln!

Ende September folgten die Herbststürme dicht aufeinander.

Sie schlief jetzt besser, die Schmerzen waren abgeklungen, sie kamen nur noch am Morgen zwischen vier und sechs. Marie hatte gefragt, wie es gekommen sei, daß Hertha Suffragette geworden war. Was war der eigentliche Ausgangspunkt? der Auslöser? und da hatte Hertha davon erzählt, wie sie siebzehn Jahre alt war und in der Bibel gelesen hatte.

Das Alte Testament – sie war Jüdin – und das Buch Esther.

Es war das erste Kapitel. Dort wird von dem Festmahl des Königs Ahasveros erzählt. Es war der Ahasveros, der vom Indus bis zum Nil regierte, über einhundertsiebenundzwanzig Länder. Und er machte ein Festmahl für alle seine Fürsten und Diener, und das Festmahl dauerte hundertachtzig Tage. Gleichzeitig hielt auch Vasthi, die Königin, ein Festmahl für die Frauen in König Ahasveros' Palast. Als da am siebten Tage der König guter Dinge war vom Wein, befahl er Mehuman, Bistha, Harbona, Bigtha, Abagtha, Sethar und Karkas, den sieben Kämmerern, daß sie Königin Vasthi, nur geschmückt mit ihrer königlichen Krone, vor den König führten, damit er das Volk und die Fürsten ihre nackte Schönheit sehen ließe, denn sie war schön anzusehen.

Aber Königin Vasthi wollte nicht kommen. Der König wurde da zornig und fragte die Männer, die rechtskundig waren, was er tun solle. Und sie antworteten ihm: ›Die Königin Vasthi hat sich nicht allein an dem König verfehlt, sondern auch an allen Fürsten und an allen Völkern in allen Ländern des Königs Ahasveros. Denn es wird diese Tat der Königin allen Frauen bekannt werden, so daß sie ihre Männer verachten und sagen: Der König Ahasveros gebot der Königin Vasthi, vor ihn zu kommen, aber sie wollte nicht.‹

Und das war das Ende für Königin Vasthi.

Und Hertha, die Phoebe Sarah hieß, bevor sie den Namen Hertha annahm, weil sie Jüdin war, hatte das so ungerecht gefunden. Vasthi war ein Vorbild. Und Hertha war wütend geworden.

War es einfach so? War das Leben so? Daß man angestoßen wurde, wie eine Billardkugel von einem Queue? Einfach so?

Ja, einfach so. Bist du nie angestoßen worden, Marie? hatte sie gefragt.

Nur von dem blauen Licht, hatte sie geantwortet.

Madame Skłodowska, wie sie sich jetzt im zehnten Monat ihrer Flucht nannte, wurde von einem Brief von Blanche erreicht.

Sie las ihn für sich allein, am Strand, und weinte.

In der letzten Septemberwoche fuhr sie zurück nach Paris.

Sie hatte eine Frage, die sie Blanche stellen mußte, und wußte, daß sie sich beeilen mußte, die Zeit war knapp. Vielleicht bekäme sie eine Antwort.

Am 2. Oktober betrat sie Blanches Zimmer. Blanche lag in der Holzkiste. Man hatte sich gut um sie gekümmert, aber sie konnte nicht verhindern, daß sie weinte.

Sie hatte sich so gesehnt, und jetzt war Marie zurück.

So konnte Marie in dieser Nacht die wichtige Frage stellen, die in alle ewigen Ewigkeiten nie eine Antwort finden würde, die aber dennoch gestellt werden mußte, und sie stellte sie, und in dem roten Buch hatte Blanche eine Antwort gegeben, es war die einzige Antwort, die sie geben konnte, deshalb mußte die Geschichte erzählt werden; so war es, so ging es zu, dies ist die ganze Geschichte.

Das rote Buch

VIII

Der Gesang vom blauen Licht

1.

Immer mehr von Angst um Marie erfüllt.

Sie fragte mich in der Nacht vor ihrer Flucht, was das *innerste Geheimnis* der Liebe sei. Sie war doch so häßlich! Sie war auch so schmerzhaft: diese kurzen Augenblicke von Schwindel, und dann all das Häßliche in der Spur der Liebe! Was hatte ich selbst zu Charcot gesagt, fragte ich mich. Hatte ich etwas gesagt, was ihn verstehen ließ?

»Einmal, als er geweint hatte«, antwortete ich da zu meiner eigenen Überraschung und ohne zu überlegen, »hatte ich gesagt, *ich weiche nie von deiner Seite.*«

»War das alles?« fragte sie da.

Aber das war ja alles.

Ich weiß. Meine Zeit ist jetzt knapp.

Ich schreibe mit meiner einzigen Hand, aber auch die wird mir bald genommen werden. Marie fragt mich oft, ob sie sich schuldig fühlen muß wegen dieser Krankheit, ob die Strahlung des Radiums die Ursache ist; ich will nicht, daß sie sich schuldig fühlt, und sich deshalb über mich erbarmt. Ich will, daß sie dies aus Liebe zu mir tut. Ich verweise deshalb auf meine zwei Jahre als Assistentin in der Röntgenabteilung der Salpêtrière, bevor wir uns begegneten. Wer kann wissen, ob meine Verkürzung ihren Grund in Professor Röntgen oder der Pechblende hat.

Sie ist meine einzige Freundin. Gäbe es mich nicht, wäre sie tot, ich halte uns beide mit meinen amputierten Erzählungen über die Liebe im neuen Jahrhundert am Leben.

Ich fürchte jedoch, daß ich die Natur der Liebe nicht mehr erklären kann. Auch nicht die Liebe zwischen Charcot und mir. *Ich weiche nie von deiner Seite* – ich erzählte Marie den

Zusammenhang nicht, aber ich kann mich gut an die Situation erinnern.

Es war die erste oder zweite Woche im März 1891. Charcot hatte seinen ersten, überaus schmerzhaften Herzanfall gehabt. Es war bei einem Abendessen, zweieinhalb Jahre vor seinem Tod, Louis Pasteur war übrigens anwesend gewesen. Charcot hatte plötzlich ein heftiges und schmerzhaftes Ziehen in der Herzregion verspürt und war leichenblaß geworden. Doktor Viguir war zu einem gewissen Professor Potain gelaufen, der nur einen Häuserblock entfernt wohnte: Es war spät, Potain war im Nachthemd gewesen, als er öffnete, hatte sich aber sogleich angekleidet. Nach einer Stunde, und einer gewissen medizinischen Behandlung, hatten die Schmerzen nachgelassen. Am Tag darauf besuchte mich Charcot – ich befand mich da in der Wäschereiabteilung des Krankenhauses. Wir gingen ins Bügelzimmer, ich schickte die beiden Frauen, die dort arbeiteten, hinaus.

Seine Botschaft war sehr kurz.

»Zweieinhalb Jahre«, sagte er. »Mehr Zeit habe ich nicht.« Und dann hatte er angefangen zu weinen.

»Ich weiche nie von deiner Seite«, hatte ich da erwidert.

Damals hätte er verstehen müssen. *Ich weiche nie von deiner Seite.* Aber wenn die Natur der Liebe nur auf diese Weise beschrieben werden kann, dann ist alles, was ich geschrieben habe, um Marie zu retten, vielleicht im Grunde sinnlos. Ich habe eingesehen, daß ich nie weiter kommen kann.

Es ist eine Erleichterung. Aber es schmerzt mich um Maries willen.

Sie hatte ja gehofft, unter meiner Wegweisung alles dazu zu bringen, daß es zusammenhing, so daß sie am Schluß sagen konnte: *So war es, so ging es zu, das war die ganze Geschichte.* Und ich glaube, sie hofft noch immer.

2.

Ich habe jetzt nicht mehr viel Zeit.

Ich verzichte darauf, in diesem Teil des Fragebuchs – den ich selbst Das rote Buch nenne, weil es die rote Farbe der Liebe trägt – eine einleitende Frage zu stellen. Das hat seine Erklärung. Ich wollte einmal so schreiben, als wäre die Geschichte ein Gespräch zwischen zweien.

Aber ich bin ja allein. Das ist man.

Das, was auf der Reise nach Morvan geschah, eben jenes, was ich Marie auf ihre eindringliche Aufforderung hin erzählte, als sie aus England zurückkehrte und sich keinen Rat mehr wußte, es ist allzu schmerzlich, und gleichzeitig erfüllt von Freude.

Aber ich habe kaum noch Zeit.

Viele haben mich aufgesucht, um mich zu bitten, Zeugnis abzulegen über die Zeit in der Salpêtrière, über Charcot, über die Freitagsvorlesungen, über meine Rolle darin, und über seine letzten Tage und seinen Tod. Warum fragt man denn mich? Über das Los der Frauen in der Salpêtrière haben viele Zeugnis abgelegt. Zuletzt ein beflissener Mann mit Namen Baudoin: Er wollte eine Aussage, die bekräftigte, daß es alles Betrug gewesen sei, er bekam sie nicht.

Alle scheinen mich gesehen zu haben, keiner scheint mich gesehen zu haben.

Doch über das Allerletzte gibt es keine schriftlichen Berichte, nicht über die letzten Tage, über die Reise nach Morvan, und Charcots letzte Stunden. Nein, ich irre mich, einen einzigen gibt es. Ich habe ihn gelesen, von einem gewissen René Vallery-Radot, einem Schwiegersohn von Louis Pasteur. Er war nicht mit auf der Reise nach Morvan, scheint jedoch mit den beiden Wieseln gesprochen zu haben. Ich kenne ihn gut, ein Opportunist, der aus Rücksicht auf Charcots Gedenken völlig verschweigt, daß ich an der Reise teilnahm, und der meine Rolle verschweigt, Charcot zum Leben zu erretten.

Das macht mir nichts aus. Ich werde selbst bald sterben. Der Tod verkürzt mich, wie die Amputationen meinen Körper verkürzen. Der Tod verkürzt mich, aber auch meine Ambitionen, meinen Hochmut.

Was Glück war, bestimmt man ja hinterher.

Ich habe beschlossen, Jean Martin Charcots und mein Verhältnis die *Geschichte eines klassischen Liebespaars* zu nennen. Das macht es leichter, die Liebe zu ertragen. Wenn man den Schmerz erhöht, wird er furchtbar, und doch erträglich, weil er irgendwie historisch geworden ist. Das habe ich zu Marie gesagt. Sie betrachtet mich da mit Verwunderung. Ich verstehe sie. Dieser beschnittene Torso in seiner Holzkiste auf Rädern ist vielleicht nicht das Sinnbild der ewigen Liebe.

Ein klassisches Liebespaar. Alle sollten so denken. Man kann sich in ein klassisches Liebespaar verwandeln. Marie sollte. Marie und Pierre. Marie und Paul. Blanche und Charcot.

Ich konnte ihn nie mit seinem Vornamen anreden.

Warum nahm er mich mit auf die Reise?

Alle wußten, daß er verheiratet war und drei Kinder hatte und seine Ehefrau ehrte und fürchtete, und keiner kannte meine Rolle. Ich glaube, alle betrachteten mich als die schöne Blanche, die niemand, vor allem nicht Charcot, berühren durfte, sie, die Ohnmächtige und Todbringende. Es war die Vereinigung von Lust und Tod, die sie lockte. Alle hatten Lust, keiner durfte berühren, alle wußten, daß ich töten konnte, das erhöhte ihre Lust, es schützte mich. Dafür war ich bekannt. Es war meine hervorragendste Eigenschaft. Charcot wußte es besser. Ich will, daß du mitkommst, hatte er gesagt, ich bin krank, ich habe Schmerzen, angina pectoris, ich weiß, daß ich sterben werde, ich will, daß du mitkommst.

So machten wir uns auf die Reise nach Morvan.

Ich wollte nicht, daß man vor mir Angst haben sollte.

Warum zwang man mich? Es ist nicht gerecht.

Ich denke mir manchmal, daß, wenn wir unsere Lieben dicht nebeneinander legten, ich meine damit meine Liebe und Maries, daß dann ein Bild des Lebens hervortreten würde, gleichsam im Zwischenraum. Mein Leben, und Maries.

So hat Marie auch gedacht. Manchmal fragt sie, ob ich sie nicht beneide. Ich starre sie dann schweigend an. Doch ich nehme an, daß sie an die Salpêtrière denkt, und vergleicht. Dann sage ich das mit dem *klassischen Liebespaar.*

Dann pflegt Marie zu lachen. So vergehen Tage und Nächte.

Man könnte sich eine Liebe vorstellen, die nur in einem selbst eingeschlossen wäre. So denke ich oft in Stunden der Verzweiflung und Melancholie. Als wenn man eine Glasglocke über das Leben stülpte. Vielleicht würde es dann weniger weh tun. Warum liebst du Tiere mehr als Menschen, fragte ich Charcot einmal. Er war empört, und stritt es ab. Liebst du mich mehr als einen Hund, sagte ich da.

Ich wollte ihm ja weh tun, damit er verstand. Blanche, sagte er, du bist unglaublich stark, und ich habe Angst vor dir. Aber du darfst nicht die Schwäche von jemandem ausnutzen, der dich mehr liebt, als er das Leben liebt.

Wie sehr liebte er denn das Leben? Ich weiß es nicht. Wir fuhren nach Morvan.

3.

Wir waren vier Personen, die auf dem Gare de Lyon den Zug bestiegen.

Zwei hatte ich zuvor noch nicht getroffen. Professor Debove und Professor Straus begrüßten mich auch mit einer gewissen Ehrfurcht, doch war diese nicht so andächtig wie die vor Charcot.

Warum die Reise! hatten sie ihren Meister gefragt. Aber keine Antwort.

Ich selbst verstand erst später, warum Charcot diese Reise unternahm: Er wollte seine Jugend wiederaufsuchen. Ich wußte nicht, daß er viele Jahre in dieser Landschaft verbracht hatte, und besonders in der Stadt Vézelay. Was suchst du? fragte ich. Warum sucht man seine Jugend auf? fragte er mich da. Ich entgegnete, *man tut dies in dem Augenblick, bevor man aufgibt*, woraufhin die beiden anderen Begleiter mich mit Empörung und Verwunderung betrachteten. Um die beiden widerwärtigen Wiesel abzulenken, die während der zweistündigen Zugreise neben uns im Wagen saßen, konversierte ich mit Charcot. Er hatte einmal von einem Vorfall in Saint-Malo erzählt, bei dem sein Bruder sich in äußerster Gefahr befunden hatte, ich fragte nach dem gegenwärtigen Befinden seines Bruders, er sah mich mit einem plötzlichen und überraschenden Ausdruck von Wut an, schwieg, antwortete aber einige Minuten später: *man sucht seine Jugend auf, weil alles zusammenhängen muß!*

Eine Brücke, der Zug sehr langsam über den Fluß. *An einem Fluß wie diesem nahm ich Abschied von meiner Mutter!* bemerkte ich mit einem sanften Lächeln zu meinem Freund, *so hängt dies zusammen!*

Ich wollte ihm doch nichts Böses. Ich versuchte nur, ihn zu erreichen.

Wir legten einen kurzen Aufenthalt bei Château de Bussy ein, vierzehn Jahre lang ein Gefängnis für den Schriftsteller de Bussy, wegen seines anstößigen Werks von Ludwig XIV. hier gefangengehalten. De Bussy hatte die Wände bemalt, unbeholfene Bilder, amateurhaft, Charcot bemerkte, daß gefangene Künstler häufig merkwürdige Ähnlichkeiten mit hysterischen oder spastischen Patienten aufwiesen. Seine beiden Genossen notierten diese Bemerkung. Bin ich dann eine Künstlerin? fragte ich. Zeichnest du groteske Figuren an die Wände? entgegnete er mit einem sonderbaren Lächeln. Meine inneren Wände sind voll, ich habe Zeichnungen mit Hilfe eines Nagels eingeritzt. Warum Nagel? fragte er. Weil Kunst weh tun muß, antwortete ich, er lachte leise, seine beiden Begleiter Professor Debove und Professor Straus schallend. So wurde der Studienbesuch auf dem Schloß des Schriftstellers de Bussy beendet.

Ich versuche, in ihn einzudringen. Ich habe wenig Zeit, er hat wenig Zeit. So kann es gehen. Ein ganzes Leben voller Zaudern, und plötzlich soll alles gesagt werden.

Am dritten Tag erreichten wir Vézelay, *dies gleicht Perugia oder Siena*, bemerkte Charcot und erklärte, daß er als junger Arzt geraume Zeit dort verbracht habe, seine Begleiter, die

Professoren Debove und Straus, notierten diese Bemerkung, wir gingen zur Kathedrale hinauf. Ich faßte ihn unter dem Arm. Einen Augenblick schwebte mir vor, daß wir beide junge Medizinstudenten wären und ich seine Hand halten könnte, doch die beiden wieselähnlichen Akademiker, die dicht hinter uns folgten, in zwei bis drei Metern Abstand, machten dies unmöglich oder auf jeden Fall schwer.

Blanche, sagte er mit leiser Stimme, wir gehen in die Kathedrale, sie ist leer. Mein Geliebter, antwortete ich mit leiser Stimme (und es war das erste Mal, daß ich diesen Ausdruck benutzte, ich muß sehr müde oder exaltiert gewesen sein), ich folge dir, wohin du willst.

Wir gingen hinein.

Charcot machte mich auf den *narthex*, den Platz der Katechumenen, aufmerksam und auf das viereckige Loch in der Mauer der Basilika, das der Platz für die Armen oder Geisteskranken war; *die Besessenen rufen von den Wänden und keiner hilft ihnen*, sagte er mit einem seltsam traurigen Lächeln. Von diesem Platz aus, diesem Loch in der mächtigen Steinmauer, konnten und mußten die Besessenen hören und sich vom Altar Gehorsam einbleuen lassen, durften jedoch den Altar nicht sehen, der allzu heilig für sie war, *diese Basilika gleicht auf diese Weise unserem Auditorium in der Salpêtrière, wo die Besessenen ihre Trauergesänge singen!* Ich wandte mich nach dieser Äußerung Charcots mit einem, wie ich glaube, Lächeln zu den beiden Wieseln um und bat sie zu notieren, daß Professor Charcot ein Altar sei. Sie lachten angestrengt.

Ich wollte nicht boshaft sein.

Ich wußte, daß etwas nicht stimmte, daß etwas im Begriff war zu geschehen, ich hatte Angst. *Diese Wände sind furchteinflößend und schwer, wie in einer Zitadelle oder einem Gefängnis*, bemerkte Charcot, *man kann von diesen Mauern die Rufe hören, ›Unglück soll treffen diejenigen, die nicht den Glauben besitzen‹*. Ich fragte ihn, ob er erschöpft sei und ausruhen wolle, er antwortete ja, zeigte auf eine Bank links vom *portico*, jetzt setzten wir uns, er wollte meine Hand halten. *Was habe ich in meinem Leben geschaffen, sag es mir, Blanche, habe ich eine Basilika wie diese geschaffen, für die Irren, oder eine Sekte für diejenigen, die des Glaubens bedürfen?* Die beiden Wiesel mit ihren Notizblöcken wirkten unschlüssig. Charcot wies ihnen mit einer Handbewegung einen Platz auf einer Bank ungefähr zwanzig Fuß hinter uns an, sie setzten sich dort mit Gebärden der Verzweiflung. *Blanche,* flüsterte Charcot mit fast ausdruckslosem Gesicht, *es ist so vieles, was du nicht gesagt hast, und was ich nicht weiß, was weiß ich von dir anderes, als daß ich dich liebe, und daß du mich von dir stößt.*

Wie gut ich mich an sein Gesicht erinnere. Die steife Hülle, die kurz davor war zu bersten, und seine Verzweiflung. Dann sagte er, mit derselben exakten und ruhigen Stimme, *ich bin zu der Auffassung gelangt, daß die Ausrichtung meiner Forschungen über Hysterie und neurologische Störungen bei Frauen in den letzten Jahren vollständig verfehlt gewesen ist, mein Konzept von Hysterie erscheint mir jetzt als dekadent, meine sämtlichen Annahmen über die Pathologie des Nervensystems müssen revidiert werden, es ist notwendig, noch einmal von vorn zu beginnen.*

Die beiden Wiesel, Professor Debove und Professor Straus, beugten sich mit dem gleichen Ausdruck atemloser Verzweiflung wie eben vor, sie konnten nicht hören, was ihr Meister sagte, sie machten keine Notizen.

Allein ich.

Zu mir sagte er in dieser Kathedrale in Vézelay, daß er mich liebte, daß ich in ihn eingebrannt worden sei wie ein Brenneisen in ein unschuldiges Tier, daß ich ihn von mir stieße, daß dies sein Tod sein werde, daß seine Zeit bald abgelaufen sei, daß alles sinnlos gewesen sei, auch seine Forschung, und er jetzt ganz von vorn anfangen müsse; und nichts von alldem wurde von den zwei Beobachtern, ich meine damit die Professoren Debove und Straus, die beiden Wiesel, aufgezeichnet. Nur gegenüber seinem Privatsekretär Georges Guinon, sagte er, habe er erwähnt, daß er wieder am Nullpunkt angelangt sei, und daß alles verfehlt gewesen sei.

Ich war in jeder Hinsicht allein mit ihm, mit meiner Verzweiflung, meinem Wunsch, den Zusammenhang zu verstehen, seine Liebe zu verstehen, meine Schuld, und warum diese Reise nach Morvan seinen Tod und meine Befreiung bedeuten sollte.

4.

Wir verließen Vézelay am Morgen des 14. August 1893.

Wir fuhren aus der Stadt hinaus, wir kamen an einem Friedhof vorüber, Charcot bemerkte nur, auf Italienisch, *campo santo*, er sprach von einem Buch, das er am Abend zuvor gelesen hatte, von Guy de Maupassant, *es ist so traurig, es ist das Werk eines kranken Menschen, die Welt ist nicht so schlecht, wie er schreibt, es gibt Güte.* Die Professoren Debove und Straus notierten diese Worte, und auf die Frage, von einer dieser ihn hofierenden Hyänen gestellt, ob sein Glaube an Gott also unverrückbar sei, schüttelte er nur traurig den Kopf und gab zur Antwort *wenn es ihn gibt, ist er weit weit weg, und so vage, so unklar.*

Sie zeichneten alles auf, außer das, was ich sagte. Sie schienen sich vor mir zu fürchten.

Als wir das Hotel in Vézelay verließen, war ein Mann auf uns zugekommen, hatte Charcots Hand ergriffen, sie geküßt und erklärt, er sei einmal Charcots Patient gewesen, jetzt geheilt, er war Künstler und wollte ihm danken. Es machte einen abstoßenden Eindruck auf mich: wie etwas aus der Bibel, ein Lahmer, der wieder gehen konnte und der seinem Erlöser dankte. Ich gab Charcot dies in höhnischem Ton zu verstehen, er sei doch nicht Jesus Christus! Er zuckte zusammen, wie von einem Schlag, und nickte nur.

Die beiden Geier murmelten erregt. Wir setzten uns in den Wagen.

Im Landauer saß Charcot neben mir, hielt manchmal meine Hand, obwohl die Professoren Debove und Straus uns gegenübersaßen und uns mit Ehrfurcht und Entrüstung betrachteten. Ich fragte sie, ob sie einmal eine Vorstellung mit mir gesehen hätten, sie antworteten gemeinsam ja (nickten fast gleichzeitig) – ich fragte daraufhin, was ihr Eindruck gewesen sei. Professor Debove antwortete, er sei so davon in Anspruch genommen gewesen, Professor Charcots Kommentare, die ja von so großem und einzigartigem wissenschaftlichem Wert waren, mitzuschreiben, daß er kaum den Blick habe heben können und deshalb mich und meinen Anteil am Geschehen nicht kommentieren wolle. Heuchler, entgegnete ich mit freundlicher Stimme, sie notierten diesen Kommentar nicht, ich wandte mich um, sah ein flüchtiges Lächeln auf Charcots Lippen, wir kamen auf eine Brücke. Früher nur Fähre.

Sie führte über den Fluß Cure. Ich rang heftig nach Atem.

Wir trafen gegen 16.30 Uhr in der Auberge des Settons ein.

Charcot, der nie religiös gewesen war, sondern, im Gegenteil, in gewissen Perioden seines Lebens *intolerant*, sprach während des Abendessens deshalb über die Themen Archäologie, Geschichte, die schönen Künste und Botanik. Was wollen wir jetzt machen, fragte ich ihn unumwunden, die beiden Hilfskräfte, die an unserem Tisch saßen, vollständig ignorierend. Charcot befahl daraufhin den Professoren Debove und Straus, einen Abendspaziergang um den See zu machen. Sie buckelten zustimmend und zogen sich zurück, ich weiß, daß sie mich hätten umbringen können.

Das war der letzte Abend. So fing er an.

Charcots Zimmer im Wirtshaus Auberge des Settons war einfach, ein Tisch, zwei Stühle, eine Wasserkanne, eine Waschschüssel, etwas, was ich für einen Waschlappen hielt, ein Bett. Oft hatte ich mir einen Ort, den man ein *Zimmer der Liebe* nennen würde, reiner vorgestellt, nicht so abgenutzt, vielleicht nicht als einen größeren Raum, aber größer im Gefühl, reiner! Dieser Raum sollte unklar möbliert sein, vielleicht mit einem Bett, vielleicht einem Baldachin, ich hatte mir eine Art Licht vorgestellt, doch ohne Lichtquelle, oder ein Dunkel, das die beiden Liebenden nicht voneinander trennte.

Charcot bat mich, in sein Zimmer zu kommen. Ich kam herein.

Er hatte sich aufs Bett gesetzt, sein Rücken war gekrümmt, er sah auf den Fußboden, er schwieg.

Ich fragte ihn, ob er Schmerzen habe. Er schüttelte nur den Kopf.

Draußen war die Dämmerung hereingebrochen. Ich öffnete einen Kleiderschrank, hängte seine Kleider auf, fand einen Leuchter und eine Kerze. Mach kein Licht, sagte er, ich machte Licht, stellte es auf den Tisch. Er begann mit leiser Stimme von den Erinnerungen zu sprechen, die er an die Salpêtrière hatte, nannte eine Frau namens Jane Avril, er glaubte nicht, daß ich mich an sie erinnerte, erzählte von diesem jungen Mädchen mit Namen Jane Avril, die eine Tanzvorstellung arrangiert, oder daran teilgenommen hatte, einen Danse des Fous, der zu etwas anderem und *existentiell* geworden war. Sie hatte sich plötzlich von ihrer Schwere und ihrer Geschichte und dem Schmutz befreit, *als sei das Wunder möglich gewesen.* Er war, als er sie sah, von einer Art Schwindel ergriffen worden. Und während des Tanzes, als eigentümliche Schritte und Bewegungen aus dem Nichts geboren zu werden schienen, hatte sie plötzlich als das Bild des von seinen Fesseln befreiten, von seinen Voraussetzungen befreiten Menschen dagestanden. Als sei sie keineswegs eine Maschine, sondern habe verstanden, daß man sein Leben wählen, und in ein neues hineintanzen konnte.

Als wäre sie *ein Schmetterling, der vom Himmel geflohn*, schob ich da ein.

Er blickte überrascht zu mir auf. Ich kannte sie gut, sagte ich zu ihm. Natürlich kannte ich Jane Avril. Und ich erinnere mich an den Tanz. Ich flüsterte ihr damals zu, daß sie tanzte, als wäre sie ein vom Himmel geflohener Schmetterling. Habe Angst gehabt, mit uns spielen wollen. Ich hätte weinen können, oder sie töten, dann verschwand sie, war es meine Schuld?

Wohin verschwand sie, fragte Charcot.

Wohin verschwinden sie, all diese Schmetterlinge, die befreit sind, ich weiß nicht, sie flattern wohl zurück in ihre Käfige, erwiderte ich.

Schmetterlinge leben nicht in Käfigen, entgegnete Charcot. Ich habe gehört, daß sie noch immer tanzt, antwortete ich, sie versucht wohl, sich zu erinnern und zurückzufinden, ich fürchte, daß der Tanz erstarrt ist, nicht mehr der eines Schmetterlings ist. Zurückzufinden zu was? fragte er. Zu dem kurzen Augenblick, in dem alles möglich war, und bevor sie es besser wußte.

Es ist vielleicht wie die Liebe.

Ich stand am Fenster, wandte ihm den Rücken zu, er saß noch auf dem Bett. Draußen war es dunkel. Ich stellte mir vor, daß die beiden Hilfskräfte wie zwei Zwerge um den See wanderten, ich konnte sie nicht sehen, nicht den See sehen und nicht Professor Debove und Professor Straus. Ich habe keine Schmerzen, hörte ich ihn aus dem Dunkel des Zimmers sagen, wie zu sich selbst. Er saß noch immer mit hängenden Armen auf seinem Bett.

Schön, war das einzige, was ich antworten konnte.

Aber ich habe nur noch wenig Zeit, sagte er da so leise, daß ich es fast nicht hörte.

Warum hast du mich mitgenommen, fragte ich.

Warum bist du mitgekommen, sagte er.

5.

Ich hatte die einzige Kerze auf einen Tisch am Fußende des Bettes gestellt, sie flackerte, draußen war es jetzt ganz dunkel.

Das Dunkel, das sich im Zimmer befand, flackerte auch, wir teilten dieses Dunkel. Sein Gesicht war weiß und angsterfüllt, er wiederholte, daß er keine Schmerzen habe, preßte gleichzeitig die Hand an seine Brust, er hatte Angst. Ich entkleidete ihn, ich befreite seinen Oberkörper von den Kleidungsstücken, legte ihn zurück auf das Kissen, er atmete mit offenem Mund. Seine Haut war glatt, und weich wie die eines Kindes, mit meinen Fingern ordnete ich sein Haar, das in Unordnung geraten war, und lockerte seinen Gürtel, damit er freier atmen konnte. Im Zimmer war es warm, fast stickig warm, ich öffnete das Fenster einen Spaltbreit.

Ich habe keine Schmerzen, wiederholte er aufs neue, wie eine Beschwörung.

Hab keine Angst, sagte ich.

Warum sollte ich keine Angst haben, flüsterte er, ich weiß, daß die Zeit knapp ist, daß meine Zeit knapp bemessen ist, danach ist es schwarz, nichts. Wie Schlaf, flüsterte ich zurück, ich strich mit meiner Hand beruhigend durch sein Haar. Nein, es wird nicht einmal wie Schlaf, ich weiß es, wenn ich schlafe, bin ich von Träumen umgeben, dann bin ich nicht allein, es ist ein von Wesen, manchmal von tanzenden Gestalten bevölkertes Dunkel; wenn ich erwache, kann ich mich oft erinnern. Aber ich bin nie allein, wenn ich träume. Wenn ich tot bin, kann ich keinen Trost in Träumen suchen, es gibt kein tanzendes Dunkel.

Nicht einmal einen tanzenden Schmetterling? flüsterte ich.

Nein, nicht einmal das! Keine undeutlich tanzenden Gestalten. Ich weiß, daß es keine Blanche gibt, die auf mich zukommt und lächelt und mich mit ihrer Hand berührt und meine Wange streichelt. Wenn ich tot bin, ist es schwarz und traumlos. Und das ist es, was mir angst macht. Daß du nicht mehr von mir träumen kannst? Ja, das auch. Und alles, was zu spät ist! daß du im Dunkeln verschwindest und daß es dich eigentlich nie gegeben hat. Obwohl es so kurz davor war, daß es dich gegeben hätte. Daß ich ein ganzes Leben neben dir gelebt hätte, Tag und Nacht, und daß du mich nur im Traum berührt hast, und jetzt stehe ich an einem Abgrund und es ist vollkommen schwarz.

Keine Blanche?

Keine Blanche, nichts.

Ich stand auf, schloß das Fenster. Vielleicht war es schon Mitternacht, kein Geräusch von Wind in den Bäumen. Keine Stimmen. Die Zwerge waren sicher zurückgekehrt und schliefen ihren verbitterten Schlaf. Es waren nur wir. Er hatte Angst, ich wünschte, ich könnte ihn in die Arme nehmen und ihn hochheben, wie einen Hundewelpen, und ihm Geborgenheit geben. Ich wußte, daß ich ihn liebte, ich wußte, daß er sterben würde, was macht man mit einem Geliebten, der sterben wird, wenn ein ganzes Leben vergangen ist und man nicht getan hat, was man hätte tun können. Ich hörte, wie er atmete, schwer, sein nackter Oberkörper schien mächtig und weiß, er hatte keinen Haarwuchs am Oberkörper, er war glatt wie ein Kind. Was ist die Antwort, flüsterte er. Was sollte ich sagen? Ich habe geglaubt, du hättest die Antwort auf alles, sagte ich. Als du im Auditorium standest und redetest, hattest du Antworten, was ist passiert?

Er antwortete nicht.

Ich drehte mich um und verließ das Fenster, das nicht mehr als Entschuldigung dienen konnte, ihn nicht anzusehen. Ich wollte nicht zeigen, daß ich weinte. Ich fand immer, daß du eine so schöne Stimme hattest, sagte ich dicht an seinem Ohr, wenn ich in die Bewußtlosigkeit oder *Gurneys tiefes Stadium* sank, oder *Azams* oder *Solliers*, du hörst, ich hab's gelernt! dann hörte ich trotzdem deine Stimme neben mir. Ich wollte nicht verstehen, was du sagtest, aber deine Stimme, sie klang so jung, es war die Stimme eines fünfzehnjährigen braungebrannten Jungen, der bis zu den Knien im Wasser stand. Verstehst du? So schön war sie. Ich verstand nicht, was du sagtest, es war undeutlich, aber du warst jung wie in einem Traum. Wie in einem Traum? Flüsterte er. Ja, wie in einem Traum.

Aber wenn alles nur schwarz wird? Und ganz leer? Und ich dich nie mehr mitnehmen kann, Blanche, nicht einmal als Traum? Ich habe solche Angst, flüsterte er, nichts kann ich mitnehmen. Nicht dich. Ich habe solche Angst, daß ich nie mehr auch nur von dir träumen kann.

Die Kerze brannte jetzt ganz ruhig, er lag mit geschlossenen Augen da. Er sah so kindlich aus. Ich legte mich neben ihn. Ich preßte mich an seine Seite, ich hörte, daß er heftig nach Atem rang. Hab keine Angst, sagte ich. Ich bin hier. Ich werde bis in alle ewigen Ewigkeiten bei dir sein. Bis in alle ewige Ewigkeit?

Ja, alle Zeit. Allzeit.

Wie lange ist es her, daß du zu mir kamst, Blanche? Sechzehn Jahre. Und jetzt? Wie lange bleibst du, Blanche?

Bis in alle ewige Ewigkeit.

Ich rührte mit der Hand an seine Brust, leicht, federleicht, weißt du noch, flüsterte ich, weißt du noch, die Punkte? Ich berührte die Punkte, er atmete mit offenem Mund. Hier am Hals, du hast mit einem Stift die Punkte gekennzeichnet, an den hysterogenen Zonen, hier, am Schlüsselbein, unter der Brust. Die Seite. Du wagtest nie, mich mit deiner Hand zu berühren. Warum wagtest du nie, mich zu berühren?

Du warst heilig.

Heilig?

Beweg dich nicht, flüsterte ich. Lieg still. Ich habe keine Angst, ich wage dich zu berühren, du bist nicht heilig, ich bin nicht heilig. Und du hast keine Angst. Ich bewegte die

Hand in weichen, leichten Bewegungen über seine Brust, seinen Hals, er atmete jetzt ruhiger. Hast du keine Angst mehr? Nein, flüsterte er, ich habe keine Angst. Und du hörst meine Stimme? Ja, sagte er, ich höre deine Stimme. Steht man an einem Abgrund, flüsterte ich, und alles ist schwarz dort unten, dann darf man nicht allein stehen, dann stehe ich neben dir.

Stehst du neben mir?

Ja, es ist vollkommen dunkel, aber wir teilen das Dunkel, das ist die Liebe, du hast keine Angst.

Ich habe keine Angst.

Das ist schön, flüsterte ich. Die Haut an seinen Armen und seiner Brust und seinem Hals rührte an meine Hand, seine Haut war schön und zart. Ich hörte, wie er ruhig atmete, das Licht flackerte nicht, alles war warm, ich stand auf.

Ich zog mich aus.

Er hatte die Augen geschlossen wie ein Kind, sah mich nicht, ich zog mich im Schein der Kerze aus. Hier bin ich, nackt, sagte ich an seiner Wange, beweg dich nicht, ich bin hier, hab keine Angst. Ich zog ihm das letzte aus. Er bewegte sich nicht. Ich legte mich neben ihn. Beweg dich nicht, sagte ich.

Aber meine Hand berührte ihn.

Er wollte etwas sagen, doch ich hieß ihn schweigen. Sei still. Schweig. *Und ich weiche nie von deiner Seite.*

Die Kerze brannte mit immer schwächerer Flamme, er hielt die Augen nicht mehr geschlossen und hatte keine Angst mehr. Er sah mich so intensiv an, als wünschte er, daß meine Augen für immer in ihn eingebrannt werden sollten, in alle Ewigkeiten. Ich berührte seinen Körper, sein Glied, er stieß ein Keuchen aus, er war bereit, er lag still, ich blickte auf sein Gesicht hinab, ich glitt in ihn hinein.

Rühr mich an, flüsterte ich. Und da wagte seine Hand, meinen Rücken zu berühren.

Ich bewegte mich langsam. Wir atmeten beide schwer. Als es vorüber war, lag ich lange mit der Wange an seiner und er flüsterte; ich hörte seine Worte, verstand aber ihre Bedeutung nicht, es war wie ein Kind, das bald anfängt zu sprechen, jemand ganz nah an einer Sprache, noch nicht am Ziel. Ich glitt von ihm herab, lag an seiner Seite.

Hast du Schmerzen, fragte ich. Nie mehr, gab er nach einer Weile zurück, ich verstand, fragte nicht weiter.

Das Licht brannte aus, es wurde dunkel, ich blieb an seiner Seite liegen, er hielt meine Hand in seiner, plötzlich spürte ich, wie sein Griff hart wurde. Er bäumte sich im Bett auf wie in einem Bogen, ich sah sein Gesicht von der Seite, der Schmerz riß ihm den Mund auf. Dann sank der Bogen zusammen, der Schmerz verschwand, er lag still.

Ich hielt meine Hand über seinen Mund. Ich spürte nichts, keinen Atemzug, er atmete nicht mehr. Der Schmerz war von seinem Gesicht gewichen, und von seinem Körper, er lag vollkommen still.

Er sah lieb aus. Warum sollte ich weinen? Ich hatte ja versprochen, nie von seiner Seite zu weichen. Ich blieb an seiner Seite liegen.

Der Morgen dämmerte. Ich hielt seine Hand in meiner.

Als es Tag war, kleidete ich mich an, richtete sein Ruhelager, auf daß seine Freunde und Bewunderer nicht Anstoß nehmen sollten, und dann ging ich zu ihnen hinaus und berichtete, daß Professor J.M. Charcot tot war.

Wir brachten ihn im Sarg zurück nach Paris; keiner von ihnen sprach mit mir, das machte nichts.

Warum sollten sie mit mir reden?

Man stellte seinen Sarg in der Kapelle in der Salpêtrière auf, und die Insassen des Krankenhauses konnten ihn mit einer Trauerprozession ehren und ihre Trauer zeigen. Mehrere tausend Insassen zogen langsam vorbei, viele von ihnen wurden auf Tragen hergebracht.

Ich holte einen Stuhl und setzte mich neben den Sarg, betrachtete die Trauernden, die an uns vorbeizogen. Ich legte meine Hand auf den Sarg, damit er wissen sollte, daß ich da war, und mein Wort hielt. Die Verantwortlichen kamen daraufhin zu mir und sagten, es sei unpassend, daß ich dort säße.

Ich rührte mich nicht. Und so ließen sie mich in Frieden mit ihm zusammen sein.

Coda

(Ausgangspunkte)

Man errichtete eine Statue von Jean Martin Charcot in voller Lebensgröße, sie war aus Bronze und stand vor dem Eingang der Salpêtrière, sie stand lange dort. Als die Deutschen im Zweiten Weltkrieg Paris eingenommen hatten und der Metallmangel in der Kriegsindustrie groß war, wurde die Statue 1942 von den deutschen Okkupanten entfernt, eingeschmolzen und zur Produktion leichterer Luftabwehrkanonen verwendet.

Seitdem gibt es keine Statue von Charcot mehr vor dem Eingang der Salpêtrière.

Die letzte Begegnung der drei Frauen: es war im Frühjahr 1913, es waren Jane Avril, Blanche Wittmann und Marie Curie. Die beiden anderen rollten Blanche in ihrer Karre hinaus auf die Terrasse. Dann holten sie Stühle, setzten sich zu ihr, und unterhielten sich. Jane hatte Marie gefragt, wie es ihr jetzt gehe, Marie hatte gelächelt und gesagt *ja, ich kann auf jeden Fall das Essen bei mir behalten.*

Sie hatten alle angefangen zu lachen. Sie hatten draußen auf der Terrasse gesessen, Marie, Blanche und Jane, und es war so friedlich und schön gewesen, und sie hatten einander so gern gehabt.

Im Monat darauf starb Blanche.

Die Terrasse. Die Bäume. Das Laub.

Marie Skłodowska Curie wurde auf dem Friedhof in Sceaux begraben, im selben Grab wie ihr Mann Pierre.

Pierres Vater Eugène Curie war 1910 gestorben und sein Sarg war über dem seines Sohns beerdigt worden. Marie befahl einige Jahre später, nach einer persönlichen Krise, daß das Grab geöffnet und Eugène Curies Sarg zuunterst gestellt wurde, weil Marie beschlossen hatte, daß ihr Sarg in unmittelbarer Nähe zum Sarg ihres Mannes Pierre stehen sollte.

Sie wollte nichts zwischen ihnen haben.

So geschah es. Als Marie starb – am 4. Juli 1934, an einer aplastischen perniciösen Anämie mit einem schnellen und fiebrigen Verlauf, bei dem das Knochenmark nicht reagiert hatte, wahrscheinlich aufgrund von Schäden durch eine über längere Zeit akkumulierte Strahlung –, wurde ihr Sarg auf den von Pierre hinabgelassen, auf dem kleinen Friedhof von Sceaux. Die Familie und fünf Freunde waren die einzigen, die an der Zeremonie teilnahmen, die von Le Journal, einer der französischen Zeitungen, die ihr nie verziehen hatten, heftig kritisiert wurde. Die Schlichtheit des Begräbnisses war *ein Zeichen von Marie Skłodowska Curies unübertroffenem Hochmut, der sich in der Form freiwilliger Auslöschung, der Weigerung, Ehrenbezeugungen anzunehmen, und einer übertriebenen Anspruchslosigkeit äußerte.*

Einer der fünf war Paul Langevin. Vierundzwanzig Jahre waren vergangen, seit sie sich zum letzten Mal geliebt hatten. Amor Omnia Vincit, stand auf einem der Kränze, es war nicht seiner, niemand weiß, wer ihn geschickt hat. Blanche war seit zwanzig Jahren tot. Ich habe beschlossen zu glauben, daß er trotzdem von ihr kam.

Niemand weiß, wo Blanche begraben ist.

Ein Dank

Dies ist ein Roman. Ich habe Tatsachenmaterial benutzt, um eben einen Roman zu schreiben, und verzichte deshalb auf eine Auflistung der Arbeiten, aus denen ich geschöpft habe. Was das Curie-Material betrifft, möchte ich dennoch Evelyn Sharps ›Hertha Ayrton‹, Marguerite Borels ›A travers deux siècles. Souvenirs et rencontres‹ und Karin Blancs ›Marie Curie et le Nobel‹ nennen, sowie vor allem Susan Quinns grundlegende Abhandlung ›Marie Curie – A Life‹, insbesondere wegen ihrer Darstellung der Langevin-Tragödie. Ein besonderer Dank gilt meiner Tochter Jenny Gilbertsson, die das umfangreiche Charcot-Material recherchiert hat. Für die Art und Weise, wie ich all dies im Buch von Blanche und Marie verwendet habe, bin ich allein verantwortlich.

P.O.E.

Inhalt

Das gelbe Buch

Das schwarze Buch

Das rote Buch

Weitere Werke von Per Olov Enquist

Hamsun
Eine Filmerzählung
Aus dem Schwedischen von Alken Bruns
2004

Lewis Reise
Roman
Aus dem Schwedischen von Wolfgang Butt
2003

Der fünfte Winter des Magnetiseurs
Roman
Aus dem Schwedischen von Hans-Joachim Maass
2002

Der Besuch des Leibarztes
Roman
Aus dem Schwedischen von Wolfgang Butt
2001

Die Kartenzeichner
Fragile Utopien
Aus dem Schwedischen von Wolfgang Butt
1997

Kapitän Nemos Bibliothek
Roman
Aus dem Schwedischen von Wolfgang Butt
1994

Gestürzter Engel
Ein Liebesroman
Aus dem Schwedischen von Wolfgang Butt
1987

Auszug der Musikanten
Roman
Aus dem Schwedischen von Wolfgang Butt
1982

Der Sekundant
Roman
Aus dem Schwedischen von Hans-Joachim Maass
1979

Seine Werke sind als Hardcover im Carl Hanser Verlag und als Taschenbücher bei Fischer und Dtv erschienen und im Buchhandel erhältlich.

Weitere Bände in der
Süddeutsche Zeitung | Bibliothek

ISBN 978-3-86615-503-9
160 Seiten

ISBN 978-3-86615-508-4
128 Seiten

ISBN 978-3-86615-510-7
336 Seiten

ISBN 978-3-86615-512-1
432 Seiten